Michael Konrad
Saach blooß
Geheimnisse des Pfälzischen

© 2006 RHEINPFALZ Verlag und Druckerei GmbH & Co. KG

Gesamtleitung: Markus Knecht, Knecht Verlag Landau
Druck und Bindung: Westermann Druck Zwickau GmbH

Hinweise und Vorschläge zu unserer Serie „Saach blooß" können Sie senden per E-Mail an redeswz@rheinpfalz.de und per Fax an 0621/5902-313.

Printed in Germany
ISBN-10: 3-937752-02-1
ISBN-13: 978-3-937752-02-0

Michael Konrad

Saach blooß

Geheimnisse des Pfälzischen

von Rheinpfalz-Lesern enträtselt
Karikaturen von Uwe Herrmann

Inhaltsverzeichnis

Der Ganter, die männliche Gans. Hat mit dem Namen Gerhard nur
ein ganz klein bisschen was zu tun. Wird in der Pfälzer Sprache be-
nötigt, wenn Neugier oder Ärger den Hals wachsen lassen.

Der Spruch passt für Menschen, die vorgeben, etwas Besseres zu
sein, die ihre Herkunft aber nicht verbergen können. Er hilft auch dabei, die Rivalität mit dem Nachbarort zu schüren.

Der Held aller Durstigen, weil er den Schoppen sofort nach dem Trinken an den Tischnachbarn weiterreicht. Hat viele Berufe.

So sieht es aus, wenn lange nicht aufgeräumt wurde: Pfälzer Varianten der deutschen Redensart: „Wie bei 's Hempels unterm Sofa."

Da hat sich eine überkandidelte (weibliche) Person besonders auffällig zurechtgemacht und erinnert damit an eine mysteriöse Katharina.

„Ebbes" steht für hochdeutsch „etwas", „alla" stammt vom französischen Verb „aller" und kann in der Pfalz fast alles bedeuten: von
„Jetzt geht's aber los!" bis „Na gut!"

Französisches Pfälzisch: Die Aufforderung, nichts Dummes anzustellen, geht nicht zwingend auf den Anmach-Spruch französischer Soldaten zurück: „Besuch mein Zelt!"

Französisch-Pfälzisch, zweiter Teil: Aus dem trockenen Gerichtsvollzieher wird der „niedliche Kuckuck", „es Hussje".

Das klappt wie am Schnürchen. Erklärungen zum Ursprung gibt es
viele. Nur: Welche stimmt?

Gewidmet allen Mitmacherinnen und Mitmachern von Altrip bis Zweibrücken, von Berlin bis Brampton, Ontario.

Vorwort

Liebe Leserinnen und Leser dieses Buches,

was macht Heimat aus? Heimat, das ist vertraute Landschaft, sind vertraute Menschen. Heimat sind Gebräuche und Geschichten, ist besonderes Essen und Trinken. Heimat ist sinnlich: Sie hat ihr eigenes Licht, man kann sie riechen, man kann sie hören – am besten an der Sprache der Menschen. Es ist ihre Mundart. Mundart ist nicht an die Regeln der Hochsprache gebunden, welche immer auch Schriftsprache ist. Mundart ist nicht die Sprache nur einer sozialen Schicht. Sie ist nicht volksverbindend, dafür umso mehr heimatverbindend.

Das Pfälzische ist ein rheinfränkischer Dialekt. Er ist geprägt von der Nähe zum französischen Sprachraum und mehr noch von der Geschichte dieser Landschaft, die eine Völkermühle war: mal Einwanderungsland, mal Auswanderungsland, immer Durchgangsland. Das hat die Pfälzer zugleich weltoffen und patriotisch, freundlich und derb, pragmatisch und gefühlsbeladen gemacht. Ihre Mentalität kommt in ihrer Mundart am besten zum Ausdruck.

Seit März 2002 ist die Redaktion der RHEINPFALZ, die Tageszeitung der Pfalz, den Besonderheiten der pfälzischen Sprache auf der Spur. In der Reihe „Saach blooß" werden Sprüche, Redensarten und Wörter unter die Lupe genommen: Wie werden sie benutzt und wo liegt ihr Ursprung? Die Redaktion stellt einen Spruch oder ein Wort zur Diskussion und die Leserinnen und Leser schreiben ihre Einschätzung dazu.

Es hat sich gezeigt: Der Sprachschatz der Leser ist ein unerschöpflicher Fundus, um den „Saach blooß" von Sprachwissenschaftlern und Volkskundlern beneidet wird. Nicht nur wegen der Vielfalt der sprachlichen Eigenheiten, die sich darin offenbaren: Auch ist es den Mitmachern vielfach gelungen, Lösungen für bislang ungeklärte Rätsel zu finden oder landläufige Meinungen zu erschüttern.

Lesen Sie einfach mal die Folge über den nicht nur in der Pfalz beliebten Spruch „Mach kä Fisimatente!", der vielleicht doch nichts mit Damenbesuchen in Soldatenzelten zu tun hat. Außerdem sind die RHEINPFALZ und ihre Leser mutig der Spur des „Bimbes" in schwarzen Koffern gefolgt und haben die Sangeswelt in Aufruhr versetzt, als sie sich dem Spruch „Mein liewer Herr Gesangverein" widmeten.

In diesem Buch können Sie schmökern und dabei viel Spannendes und Witziges über die Pfälzer und ihre Sprache erfahren, auch durch die eigens für die Serie gezeichneten Karikaturen des RHEINPFALZ-Zeichners Uwe Herrmann aus Obersimten. Sie können es aber auch als Nachschlagewerk benutzen: Im Stichwortverzeichnis am Ende finden Sie rund 220 Wörter und Wendungen, die in den 54 Folgen dieses Bands erklärt werden.

In diesem Band sind die Folgen der ersten zweieinhalb Jahre bis Ende 2004 zusammengefasst, und zwar chronologisch. Die Zeitungsartikel wurden für die Buch-Ausgabe allesamt überarbeitet, aktualisiert und teilweise ausführlich erweitert. Ein weiterer Band mit den Folgen aus den Jahren 2005 bis 2007 soll – die weiterhin große Resonanz der Leser vorausgesetzt – Ende 2007 erscheinen. Wenn Sie dabei sein wollen, beteiligen Sie sich an „Saach blooß" – alle 14 Tage in der RHEINPFALZ.

Michael Konrad ist Redakteur der RHEINPFALZ am Sonntag. Er war zuvor in vielen unserer 19 Lokalredaktionen und in der Südwest-Redaktion tätig. Michael Konrad ist Pfälzer – mit Herz, Seele und Verstand. Die Zeitungsserie „Saach blooß" war seine Idee, und er ist ihr Autor. Die Leserresonanz auf seine Beiträge ist riesig und ungebrochen. Was lag da näher, als aus der Zeitungsserie ein Buch zu machen. Ich danke Herrn Konrad herzlich für sein großes Engagement für die Pfälzer Mundart und wünsche Ihnen, liebe Leserinnen und Leser, gute Unterhaltung und viel Spaß mit „Saach blooß – Geheimnisse des Pfälzischen."

Michael Garthe
Chefredakteur DIE RHEINPFALZ

Achtung, bissiger Ganter!

Wenn Neugier oder Ärger den Hals wachsen lassen

Ob „bleeder Ochs", ob „dummi Kuh", ob „Rindvieh" oder „Dreck-wutz", ob – bei sich freundlicher gesinnten Gesprächspartnern – „Maisel", „Spatz" oder „moi Zuggerbiensche": Die Pfälzer leh-nen sich immer wieder an die Tierwelt an, wenn sie einander Namen geben. Das mag die Betitelten empören oder begeistern und bei neutralen Zuhörern Heiterkeit oder Befremden auslö-sen: Es funktioniert. Der Adressat weiß mit erstaunlicher Si-cherheit, was gemeint ist. Doch gibt es auch weniger eindeuti-ge Fälle. „Der macht 'n Hals wie de Gerred" (sprich: Gärredd) ist in der Pfalz immer wieder mal zu hören, wird aber nicht von allen auf Anhieb verstanden.

„Do haw isch awer gelacht – vun wesche Gerhard", hat Hed-wig Feldmann aus Ludwigshafen geschrieben, nachdem wir zum Start der Serie im März 2002 gemutmaßt hatten, der Ursprung des Gerred-Spruchs sei unbekannt – bis auf die Einschränkung, dass „Gerred" vielleicht vom Namen „Gerhard" abgeleitet sein könnte. Es zeigte sich rasch: Wir hatten vor allem eines offen-bart: Ahnungslosigkeit in Sachen pfälzischer Zoologie. „De Ger-red, des is de Ganzert odder Ganter – des is de Mann vunn de Gans! Ham se dem soin Hals schunn gsehe?" Viele weitere Re-aktionen folgten, so dass wir in der Redaktion den Hals pas-send zum Spruch recken mussten, um über den Stapel von Briefen, Faxen und ausgedruckten E-Mails zu schauen, in de-nen wir über den „Gerred" aufgeklärt wurden: Heike Dernber-ger aus Freimersheim hat gleich noch in Freisbach, dem Hei-matort ihrer Mutter, recherchiert und ist auf dieselbe Lösung gekommen wie Rosemarie Mathes aus Germersheim, die sich an ihre Großeltern aus Rheinzabern erinnerte: Für die war der „Gerred" der „Pascha ihrer Gänseschar".

„Der macht en Hals wie de Gerred."

Diese Tierchen haben es an sich, „bei sexueller oder anderer Erregung ihre Hälse besonders lang zu recken", wie ein weiterer Leser aus der Südpfalz schreibt: „Gut denkbar, dass der Volksmund diese Bezeichnung auf einen Menschen mit ähnlichem Gehabe übertragen hat." Man könnte auch sagen: „Beim Gerred mit dem langen Hals handelt es sich um einen aggressiven Gänserich, der beim Einnehmen der Kampfstellung gegenüber seinem (vermeintlichen) Gegner den Hals reckt."

„Als Kinder haben wir oft den Gänserich geärgert", erzählt eine Leserin aus Ludwigshafen. „Dann schrie er, machte einen langen Hals und rannte uns nach. Wir rannten dann auch, und zwar davon. Das war der Gerred", endet die Geschichte. Der Vater einer weiteren Leserin hat in ihrer Jugendzeit nach dem Zweiten Weltkrieg die Kinder dringend vor dem Gänserich gewarnt, der auf dem Hof der Familie lebte: „Bassen uff, dass eich de Gerred net beißt!" Denn, wie auch eine weitere Südpfälzerin weiß: „Wenn Eindringlinge in den Hof kommen, will er sie vertreiben, indem er mit gestrecktem Hals, kräftigem Fauchen und lautem Geschnatter angreift." Die Drohung könnte auch der „Briegans" Angst machen, wie seine Lebensabschnittspartnerin in der Pfalz manchmal genannt wird – was für „die brütende Gans" stehen könnte, aber auch für die Gans in der Brühe. Wobei wir Letzteres mit Blick auf das gänsische Familienleben natürlich nicht hoffen wollen.

Wut und Ärger sind nur eine Facette des pfälzischen Ganters. „Der macht en Hals wie e Schiraff (Giraffe)" nennt man laut einer Vorderpfälzerin einen neugierigen Menschen, „der alles mitbekommen möchte, auch wenn es ihn nichts angeht". Und der Spruch mit dem „Gerred", der mancherorts übrigens auch „Geered" ausgesprochen wird, bedeute schlicht dasselbe. Dass, wer seine Nase dorthin steckt, wo sie nicht hingehört, zu diesem Zweck oft einen langen Hals machen muss, lässt sich kaum leugnen. „Auf keinen Fall leitet sich de Gerred von dem Namen Gerhard ab", schreibt eine Leserin, ohne Raum für den kleinsten Zweifel zu lassen, und fügt schelmisch hinzu: „Außer natürlich, der Ganter heißt Gerhard."

Allerdings gibt es durchaus auch andere Meinungen, wie „Saach blooß" auf die Zuschrift eines Lesers aus Landau hin recherchiert hat: In Kluges Etymologischem Wörterbuch (Berlin, 1967, aber auch schon in früheren Ausgaben) heißt es nämlich, dass der Ganter in der Rheinpfalz „Gäret" und in der Schweiz „Gäber" genannt werde, im ersten Fall abgeleitet vom Vornamen Gerhart, im zweiten Fall von Gabriel. Was „Saach blooß" wenigstens den kleinen Trost bescherte, zwar nur bedingt Ahnung von der Pfälzer Tierwelt, aber mit dem Bezug zu dem Vornamen doch möglicherweise nicht völlig falsch gelegen zu haben.

Die Westpfälzerinnen und Westpfälzer werden das Thema so oder so mit großer Gelassenheit verfolgt haben, denn unter allen Einsendern der ersten Folge war nur einem einzigen Nichtvorderodersüdpfälzer „de Gerred" ein Begriff. Das deutet darauf hin, dass es sich um eine Redensart aus der Rheinebene handeln dürfte. Eine These, die von einem in Winden lebenden Badener erhärtet wurde, dem der „Gerred" auch aus seinem Heimatdialekt geläufig ist. Wir lernen also auch: Nicht überall ist Gänseland.

Folge 1, erschienen am 8.3.2002

„Pälzer Fieß, Pariser Schickelscher"

Der nicht nette Nachbar von nebenan

Warum klobige Füße manchmal doch in elegante Schuhe passen

„Obbarer Fieß un Pariser Schickelscher" – die vielen Varianten dieses Spruchs, bei dem es nur vordergründig um Füße aus Ludwigshafen-Oppau und elegantes Schuhwerk aus der französischen Hauptstadt geht, werfen ein erstaunliches Licht auf die Tücken der nachbarschaftlichen Beziehungen in der Pfalz.

„Die betreffende Person gibt vor, etwas Besseres zu sein, und kann ihre Herkunft doch nicht verleugnen", erklärt Stefan Eck aus Maximiliansau, der die Redewendung einfach als „Pälzer Fieß, Pariser Schuh" kennt – und zwar von frechen Kollegen aus Baden, die damit doch tatsächlich Pfälzer auf die Schippe nehmen wollen. In der Regel bezieht sich der Spruch in all seinen Ausprägungen auf Leute aus dem Nachbardorf, auf die Eingebildeten, Neureichen, eben auf jene, „die wollen, awwer nidd kennen". Von sich selbst würde ein Pfälzer das ja niemals zugeben. „Knielinger Fieß" (Karlsruhe-Knielingen), „Hatzebiehler Fieß" (Hatzenbühl), „Haßlocher Fieß", „Melschbacher Fieß (Kaiserslautern-Mölschbach), „Käshofer Fieß" (Käshofen im Kreis Südwestpfalz), „Nußdorfer Fieß" (Landau-Nußdorf) „Studdrummer Fieß" (Frankenthal-Studernheim) – schon diese Auswahl macht deutlich, dass ein und derselbe Spruch Menschen aus allen Regionen der Pfalz und auch Badener treffen kann. Was beweist: Der Dialekt ist ur-demokratisch oder mindestens sehr, sehr gerecht.

In der Westpfalz hat der Spruch eine besonders charmante Facette: Dabei tritt häufig die Schuhstadt Pirmasens – anerkanntes Synonym für die große weite Welt – an die Stelle der französischen Metropole. „Käshofer Fieß und Bärmesenser Schuh", melden Marianne Braun aus Kirchheimbolanden und Renate Kallmayer aus Martinshöhe übereinstimmend, und der Nordpfälzer Karlfried Obenauer schreibt per E-Mail von „Dunnersberjer (Donnersberger) Fieß in Bärmersenser Schickelscher".

Nebenbei: Ab und an findet der Spruch auch Verwendung, ohne dass die Menschen aus dem Nachbarort auf die Schippe genommen werden sollen. Es kann nämlich auch ganz konkret zum Beispiel die Frau aus dem Haus gegenüber in ihren ganz konkreten Tretern oder eine junge Dame aus der Verwandtschaft treffen: „Wenn sie Schuhe trägt, in denen sie nicht gehen kann, meist handelt es sich um elegante Stöckelschuhe", schreibt ein Leser. Eine Leserin aus der Südpfalz erinnert sich an einen Urlaub in Italien, als ihre damals sieben Jahre alte Cousine unbedingt ein Paar schicke Damenpantoletten haben wollte und gegen den Willen der Mama vom Papa gekauft bekam: „Am Nachmittag war dann ein Besuch in Ravenna geplant. Meine Cousine, mit sehr breiten Senkfüßen, musste den ganzen Tag in diesen Schuhen gehen." Die Blasen sind heute noch Thema der Urlaubserinnerungen. „Pälzer Fieß, idalienische Schuh …"

Apropos Füße: Ilse Zammitto aus Speyer kennt aus ihrem Geburtsort Bellheim die Bezeichnung „Rilze-Zäskem-Fieß" für Treter, deren Spitzen in zwei ganz unterschiedliche Richtungen zeigen: von Bellheim aus betrachtet der eine gen Zeiskam, der andere gen Rülzheim.

Folge 2,
erschienen am 21.3. 2002

„Kennscht de Hilbert?"

Der Mann mit den vielen Gesichtern

Die Hilbert-Frage: Wie ein uneigennütziger Weintrinker
zu erstaunlichem Ruhm gelangte

Durst ist schlimmer als Heimweh. Nicht gerade ein Pfälzer
Spruch, aber einer, der gut in die Pfalz passt. Wie sonst ließe
sich die Berühmtheit eines Mannes erklären, der allein deshalb
ein Held ist, weil er in geselliger Runde das mit Wein gefüllte
Schoppenglas, das reihum gehen soll, sofort nach dem Trinken
an den Nebenmann weiterreicht? Wer ein Glas zu lange vor sich
stehen lässt oder festhält, bekommt zu hören: „Kennscht de Hilbert?" – „Nä, wieso?" – „Der hot getrunke und weitergewwe."

Ein verdienstvoller Mann also, der Hilbert, ein gewissenhaf-
ter und uneigennütziger. Vor allem aber ein Mann mit vielen Ge-
sichtern. Zum Beispiel einem akademischen: In Lustadt und
Lingenfeld ist es „Dr. Hilbert", der Schlafmützen zum Schop-
penverzicht auffordert, wie Andreas Steegmüller und Bertram
Steinbacher berichten. Und in Zeiskam, sagt Peter F. Humbert,
ist Hilbert sogar Professor.

Der Landauer Hans Blinn hat uns ein Fax geschickt, wonach
„Hilpert" (mit „p" statt mit „b") gar literarischen Niederschlag
gefunden habe. Schon Eduard Jost, Autor des „Pfälzerlieds",
habe ihn in seiner Erzählung „Das Pfälzermädel" (1868) ver-
ewigt: „Sie dürfe aber den Drollschoppe (ein Abschiedsgetränk
aus Riesling und Sekt) nit zu lang in der Hand behalte! (...) Sonst
wär ihnen zugerufe worde: ‚Hilpert!' un do wären se ausgelacht
worde. Do war e mol in Frenshem bei Derkem en Mann, der hot
Hilpert geheeße und gern gepichelt. Wie's nun ans Sterbe gan-
ge isch, do hot er sein Sohn, sein Schorsch, ans Bett rufe los-
se und hott zu ihm gesagt: Schorsch, ich will d'r en gute Roth
gewe. Wenn du in'er Gesellschaft bischt und es gibt en Drollschoppe, dann loß'n nit zu lang vor dir stehe, denn man kann

nit wisse, ob der Mann, wo newe dir sitzt, nit'n große Dorscht hot." Wir halten fest: Was hat ein Tischnachbar von dem einen halben Liter Wein oder Schorle fassenden pfälzischen Schobbeglas, wenn er nur aus der Ferne zusehen darf, wie allmählich die Flüssigkeit verdunstet.

Über den Wohnort des Herrn Hilbert gibt es widersprüchliche Aussagen. Marianne Schöndorf aus Ludwigshafen ist davon überzeugt, dass Hilbert, wie einst von Eduard Jost geschildert, aus Freinsheim ist. Angela Leydecker aus Landau und Wolfgang Meiler aus Neustadt halten dagegen: „Herr Hilbert war ein Bäckermeister aus Landau." Wobei Meiler einräumt, dass der Spruch auch mit einem Lehrer oder Schreiner geläufig sei. Auch vom „Parre Hilbert" ist oft zu hören. Schließlich gibt es noch eine Dürkheimer Variante: „Kennscht de Schutzmann Hilbert?"

In Frankenthal hat „de Hilbert" einen Vornamen: Philipp, wie uns gleich mehrere Leser schreiben. In der Stadt gab es einen bekannten Radrennfahrer dieses Namens, 1948 Sieger der Deutschland-Rundfahrt. Angesichts der vielen Spielarten des Spruchs spricht aber nichts dafür, dass „de Hilbert Filp" sein Ursprung war. Außerdem berichtet Artur Platz aus Kirrweiler, dass schon sein 1850 geborener Großvater Schoppenwarmdrückern die Hilbert-Frage gestellt habe.

> *„Wenn du in'er Gesellschaft bischt und es gibt en Drollschoppe, dann loß'n nit zu lang vor dir stehe, denn man kann nit wisse, ob der Mann, wo newe dir sitzt, nit'n große Dorscht hot."*

In der Vorderpfalz ist „de Hilbert", den in der Westpfalz kaum einer kennt, tatsächlich so etwas wie ein Star. In Bellheim hat sich gar ein privater Fanclub gegründet. Albert Conrad und seine Freunde tragen seit Jahren bei ihren Treffen selbst gemachte Hilbert-T-Shirts, die das Bild eines 1,5-Liter-Weinpokals ziert. „Mittlerweile", erzählt Conrad, „gibt es die Shirts in zweiter Auflage: Die erste hat keinem von uns mehr gepasst."

Da ist es kaum zu glauben, dass der schöne Spruch vom „Hilbert" nicht völlig konkurrenzlos ist. Sarkastische Pfälzer versuchen Schoppenglasfesthalter mit zwei weiteren Bemerkungen zu belehren: „Machscht Gliehwoi?" (Machst du Glühwein?) Oder: „S'isch schunn emol änner am volle Glas verdorscht!" (Da ist mal einer mit einem vollen Glas in der Hand verdurstet). Dem „Parre Asmussen", dem auch ein Spruch à la „Kennscht de …" gilt, wäre das übrigens nicht passiert, schreibt Doris Hahn aus Neustadt: „Der hot alles selwer gsoffe." Na dann: Prost!

Nachtrag: Nachdem die „Saach blooß"-Folge zum Hilbert erschienen war, meldeten sich plötzlich auch seine Namensvettern und -basen und eröffneten ganz neue Perspektiven. Clara Hilbert aus Obrigheim schreibt: „Der letzte Hilbert, der noch Dorscht hatte, lebt schon lange nicht mehr. Seine Vorfahren stammten eigentlich aus Ostpreußen." Der Ur-Ur-Urgroßvater sei Fuhrmann gewesen, erzählt die Leserin. „Mit seinen zwei Pferden fuhr er durch ganz Deutschland nach Frankreich, weil er dort von einem guten Wein gehört hatte." Von den Hugenotten wurde er jedoch wieder nach Deutschland vertrieben, wo sein Geld knapp wurde und er eine kleine Gastwirtschaft aufmachte, „weil er immer einen großen Durst hatte".

Doch damit nicht genug: „Einer seiner Söhne, der Karl", so geht das Hilbertsche Familien-Epos weiter, „ging nach Lautersheim. Auch er hatte immer Durst, wenn er am Küchenherd auf einer kleinen Bank saß und seinen Apfelwein trank" (was Besseres konnte er sich nicht leisten). Und sein Sohn Heinrich schließlich, der im Jahr 1887 geboren wurde, kämpfte als Reitersoldat im Ersten Weltkrieg gegen Frankreich. Und hier schließt Clara Hilbert ihre Geschichte: „Da bei dem Enkel des ostpreußischen Fuhrmanns das Geld nach dem Krieg sehr knapp war, konnte er sich nur ab und zu einen Pfälzer Raddegaggel kaufen." Und man mag es kaum glauben: „Er bekam davon Kopfschmerzen und hörte auf, einen über den Durst zu trinken. Er starb 1974 mit 87 Jahren."

Und Peter Hilbert aus Bobenheim freute sich, dass endlich jemand „die Bedeutung der Hilberts für pfälzische Kultur und Sitte" ins rechte Licht gerückt habe. Dabei, so Peter Hilbert, sei der Ur-Hilbert noch viel älter. Seine Taten würden nämlich im frühmittelalterlichen Hildebrand-Lied gewürdigt: Denn die Namen „Hildebrand" oder „Hildebert" entsprängen derselben Wortwurzel wie „Hilbert", was so viel bedeute wie – wen wundert das jetzt noch? – „edler, starker Held".

Folge 3, erschienen am 11. und 12. 4. 2002

„Wie bei 's Dotterles"

„Und unter unserem Sofa ist aufgeräumt"

Die Pfälzer und die Unordnung: Was die Hempels, Dotterles und Jäbs gemeinsam haben

Bei „Saach blooß" ist es wie im richtigen Leben: Fragen führen nicht immer zu Antworten, sondern werfen oft noch mehr Fragen auf. So wie jene, ob es Erklärungen für den in der Südpfalz geläufigen Spruch „Do sieht's aus wie bei 's Dotterles" gibt. Eine Redewendung, die eine Variante ist von „Do sieht's aus wie bei 's Hempels unnerm Sofa". Das Thema war also: Unordnung, Chaos, Schlamperei. Und das in der Pfalz?

Manches unaufgeräumte Kinder- oder Jugendzimmer dürfte beispielsweise solche Aussprüche provoziert haben. „Meine Eltern und meine Großeltern benutzten gerne den Hinweis auf Hempels", erinnert sich Jürgen Jacob aus Kaiserslautern, der auch eine Erklärung parat hat: Angeblich soll der Spruch auf eine Großfamilie Hempel mit 16 Kindern zurückzuführen sein, die um 1900 in beengten Verhältnissen in Kaiserslautern gelebt habe. Andere Leser meinen indes: Die Hempels waren gar keine Pfälzer. Das legt nicht nur das Wort „Sofa" nahe, das einem Pfälzer nicht so leicht von den Lippen geht wie „Kanapee" oder „Kautsch". Das belegt auch der Hinweis der Leipzigerin Verona Meiling, die seit zehn Jahren in Ludwigshafen lebt: „Diesen Ausdruck kennen wir auch in Sachsen. Bei manchen Leuten sieht es aber auch aus wie bei Luis Trenker im Rucksack."

Eigentlich sind die Hempels durchaus Leute, die – wenn auch etwas hemdsärmelig – aufzuräumen wissen, wie unsere Leser beobachtet haben: „Alle in ihr Ordnungsbedürfnis nicht hineinpassenden Gegenstände werden eben unter das Sofa geschmissen." Wolfgang Meiler aus Neustadt hat in der Pfalz gleich mehrere Familien dieses Namens kennengelernt. Seine Erfahrung: „Kaum einer von ihnen konnte den Spruch unbeschwert ertra-

„Do sieht's aus wie bei 's Dotterles."

gen." Die Reaktionen hätten von leicht säuerlich bis zornig gereicht. Einer habe sich so vorgestellt: „Mein Name ist Hempel, und unter unserem Sofa ist aufgeräumt."

Der Spruch von den „Dotterles" dagegen hat nur wenigen etwas gesagt. Auf seine Nachfragen, wie es denn bei dieser Familie wohl zugehen mag, hat Wolfgang Meiler folgende Antworten bekommen: „Bei denne licht de Kamm bei de Budder", beziehungsweise: „Die hän die Schuhbärscht im Brodkaschde liche." Willi Fallot-Burghardt aus Kaiserslautern weist auf eine feine, aber möglicherweise folgenreiche Nuance hin: „Bei dene geht's zu wie in 's – und nicht: wie bei 's – Dotterles", lautet demnach der richtige Spruch. Handelt es sich dabei überhaupt nicht um eine Familie, sondern gar um einen Ort?

Wenn es um Ordnung im Zimmer geht, macht in der Westpfalz eine andere Redewendung die Runde: „Do sieht's jo aus wie bei Jäbs owwe nuff", hieß es in Schönenberg und Brücken, wo ich aufgewachsen bin, wenn die Mutter mit dem Zustand des Zimmers nicht einverstanden war oder jemand Einblick in ein Anwesen gesellschaftlich am Rande Stehender hatte", schreibt Arnold Ganter aus Obersülzen. Auch Karl Maué aus Niedermohr und ein Leser aus Ramstein-Miesenbach kennen diesen Spruch aus ihrem Ort. Seine Übersetzung: „Wie bei Jakobs im zweiten Stock." Erni Zimmermann aus Gerolsheim glaubt dagegen, die „Jeebs" stammten einst aus dem Bürstenbinderdorf Ramberg und Jeeb sei ein Uzname für einen Reisigbesenbinder. Toni Bossert aus Steinweiler kennt indes die vielleicht witzigste Variante: „Do geht's zu wie bei Jebs: Wer zuletscht ins Bett geht, schmeißt 's Licht mi'm Schlabbe aus." „Saach blooß" meint: Gute Nacht!

Folge 4, erschienen am 25.4.2002

„Gebutzt wie 's Kättel am Feierdag"

Weibsbilder und Frauenbilder

Geheimnisvolle Katharina

Katharina die Große, Zarin von Russland, Katharina von Medici, Herrscherin von Frankreich, Katarina Witt, deutsche Eislaufkönigin, Tante Käthe, Fußballgott. Niemand sollte behaupten, es gäbe nicht viele berühmte Frauen, die den Namen Katharina tragen. Wobei „Saach blooß" offen zugibt, sich mehr für das zu interessieren, was die Damen außer ihrem Namen sonst noch getragen haben. In der Pfalz nämlich werden die Katharina oder die Käthe in der Redewendung gewürdigt: „Gemoddelt/ Rausgebutzt wie 's Käddel am Feierdag."

„Dieser Ausspruch ist in der Vorderpfalz sehr geläufig", schreibt Marianne Schöndorf aus Ludwigshafen. „Es handelt sich beim Kätsche um eine überkandidelte Person, die sich auffällig anzieht, um Eindruck zu machen – und das meist an Sonn- und Feiertagen. Auf diese Weise konnte sie manches Mal noch in letzter Minute einen Mann ergattern." Wir lernen: Das Frauenbild hinter dem Spruch und seiner Interpretation sollte einmal auf den neuesten Stand gebracht werden. Oder nicht?

Wolfgang Meiler aus Neustadt kennt eine Variante der Redensart, die besonders gut zur (Vorder-)Pfalz passt: „... wie die Käddel im Herbscht" sei eine Bezeichnung für eine Frau, deren Kleidungsstücke optisch „nicht unbedingt zusammenpassen". Wobei „Herbscht" sich auf die Weinlese bezieht, zu der die „Käddel" in höchst origineller Montur erschienen sei. Die Variante „wie 's Käddel am Oschderdag" ist Rainer Tempel aus Heuchelheim-Klingen geläufig. Ebenfalls in Gebrauch: „Uffgscherrt (aufgemotzt) wie en Pingschtochs". Bis ins 19. Jahrhundert war es in ländlichen Gebieten ein weit verbreiteter Brauch, einen festlich mit Blumen und Kränzen geschmückten Pfingstochsen (oder Pfingsthammel) durchs Dorf zu treiben. Ein Brauch, bei

„Die esch uffgscherrt wie en Pingschtochs!"

„Gebutzt wie 's Kättel am Feierdag"

dem nach unseren Recherchen keine Katharina je dauerhaft eine tragende Rolle gespielt hat.

Soll heißen: Egal in welchem Zusammenhang, unseren Leserinnen und Lesern „ist die besagte Kättel unbekannt". Hinweise auf eine historische Katharina konnte bis jetzt niemand liefern, auch wenn es viele Beispiele in der Geschichte gäbe. Nicht einmal im großen „Pfälzischen Wörterbuch" findet sich eine Idee. Dort steht aber immerhin, dass unter anderem in „Gewitter, Kattel!" ein Ausdruck des Erstaunens überliefert ist, der ebenfalls auf den Namen Katharina zurückgehen könnte – möglicherweise allerdings auch auf den „Keidel", den pfälzischen Keil, der sich in „Dunnerkei(de)l" erhalten hat. Und das legt den Schluss nahe: Als es darum ging, sich über (manche) Frauen lustig zu machen, haben die cleveren Pfälzer einfach einen der schönsten und gebräuchlichsten Frauennamen in ihre Sprachwelt eingebaut – ganz ohne historisches Vorbild. Hauptsache, jeder weiß, wer gemeint ist …

Nachtrag: Lange nach Erscheinen des Beitrages hat Manfred Bauer aus Ludwigshafen doch noch ein historisches Pfälzer „Kättel" entdeckt: „Dass es sich beim lange vermissten gemoddelte Kättsche um die Schneiders Kat aus Tiefenbach handelt, steht fast außer Zweifel. Verheiratet war sie mit dem versoffenen Drehorgelspieler Franz aus Frankelbach. Dieses Westpfälzer Schnorrantenehepaar, nicht nur im Kuseler Land, sondern in der ganzen Pfalz beliebt und bekannt, war bei allen Festen, Feiern, Fahnen-, Kirch- und sonstigen Weihen zugegen und zum pausenlosen und vergnüglichen Aufspielen bereit. Die Kat fiel nicht nur durch ihre wunderschöne Singstimme auf, sondern auch durch ihr ungewöhnliches Äußeres, wie der Heimatdicher Georg Klein zu berichten weiß (nicht zu verwechseln mit dem Ingeborg-Bachmann-Preisträger gleichen Namens), der den beiden Musikanten ein kleines literarisches Denkmal gesetzt hat." Das historische Büchlein heißt „De Franz un's Katche – e pälzisch Orjelpaar".

Folge 5, erschienen am 10.5.2002

„Ebbes" und „alla"

Wenn das Blut in den Adern gefriert

Von der großen Kraft zweier kleiner Wörter

„Do froon Se awwer ebbes heid!" – Der sanfte Vorwurf im Fax von Simone Käfer aus Birkenheide bringt es auf den Punkt: Die aktuelle „Saach blooß"-Frage ist ein wenig heikel. Nicht um einen pfälzischen Spruch geht es nämlich, sondern um zwei Allerweltswörter, die jedem Pfälzer, jeder Pfälzerin tagtäglich über die Lippen gehen: „ebbes" und „alla" (angeregt von Hermann Risch aus Lindenberg).

Der Ursprung der Begriffe jedenfalls ist schnell geklärt: „Dieses alla dürften wir von unseren französischen Nachbarn übernommen haben", formuliert Joachim Lehmler aus Ludwigshafen vorsichtig, was vielen Lesern geläufig ist: „Alla" ist eine Abwandlung des französischen „allez", und das wiederum ist die Befehlsform von „aller", was so viel heißt wie „gehen". „Auf geht's!", „Los geht's!", „Ab geht's!" – so wie die Franzosen ihr „allez!" benutzen die Pfälzer ihr „alla". Sollte man meinen. Oder besser: „Alla, hopp."

Die Pfälzer wären jedoch nicht die Pfälzer, würden sie ein einmal für gut befundenes Wort (gilt auch für Dinge/Ideen/Vorlieben) nicht noch ein bisschen weiterentwickeln. „Noo alla, jetzt saachscht awwer ebbes", liefert Margrit Hehr aus Kandel bestes Anschauungsmaterial. Denn: „Noo, alla" oder „Jo, alla" sind Sprüche, die auf den ersten Blick nicht viel mit dem Wort „gehen" zu tun haben. Es sind schlicht Ausdrücke ungläubigen Staunens oder abfällige Kommentare. Doch: Sinnigerweise haben die Pfälzer für ebendiesen Zweck auch den paradoxen Ausruf „Kumm, geh fort!" geprägt – womit sich der Kreis zu „gehen" und zum französischen „aller" wieder schließt. Die pfälzische Sprache als sprachwissenschaftliches Wunderhorn. Will jemand widersprechen?

Vielleicht Ute Sanns, die mutmaßt, „alla" könnte auch mit dem hochdeutschen „also" zusammenhängen. Sie hat ein gutes Argument: „Unser alla werd meischdens so verwendet wie also: Alla dann, alla tschüss, alla gut."

Alla gut. „Ebbes ist nur eine Verballhornung von etwas", erläutert kurz und sachlich unser Leser Willi Wagner zum zweiten Pfälzer „Zauberwort". Er lässt damit eigentlich keine Fragen mehr offen. Dabei steckt auch in diesem Wörtchen mehr drin, als seine fünf Buchstaben ahnen lassen. Wem ist nicht schon das Blut in den Adern gefroren, wenn sich vor ihm (oder ihr) ein Zwei-Meter-Mann aufgetürmt und mit Zorn in der Stimme gefragt hat: „Isch ebbes?" Und ganz im Gegenteil milde stimmen soll das Wort „ebbes", wenn ein Bittsteller es Mitleid heischend ausspricht, meist mit Dackelblick: „Ich hätt do ebbes …" – ein dringendes oder peinliches Anliegen nämlich.

Noch nicht einmal milde lächeln will indes, wer den nach Aussage von Corinna Erben in Queidersbach bekannten Spruch verwendet: „Des is ebbes, wu de Bebbes net wisse muss." „De Bebbes" oder „Bäbbes" ist nämlich ein Bekannter vom „Futtes", und beide treten als Duo beim Fasching auf. Ergo: Was der „Bebbes" nicht weiß und worüber er keine Witze machen kann, macht in der Prunksitzung auch keinen neugierigen Zuschauer heiß.

Wer jetzt noch immer nicht genug hat, dem rät gleich ein halbes Dutzend Leser, das Gedicht „Ebbes" im gleichnamigen Buch des Mundartdichters Helmut Metzger nachzulesen. Oder halten Sie sich an unseren Leser Werner Divivier aus Obermohr: Der hat eine Büttenrede aus den 60er Jahren gefunden („ist aber nicht von mir", schreibt er), in der sich alles um das Wort „ebbes" dreht. Der Schlusssatz lautet: „Ebbes is überall, noore in keem Lexikon." Dem können wir mit dem „Saach blooß"-Buch jetzt abhelfen.

Alla, liebe Leserinnen und Leser, heikle Fragen hin oder her: Jetzt wissen Sie alles über „alla" und „ebbes". Und wenn's doch nicht alles ist, dann seien Sie trotzdem zufrieden: Ehr wissen jetzt wenigschdens ebbes.

Folge 6, erschienen am 23.5.2002

„Mach kä Fisimatente!"

Damenbesuch im Soldatenzelt

Streitfall „Fisimatenten":
Wie eine Mehrheitsmeinung erschüttert wird

„Auf der Straße ist der Polizist unterwegs und gibt Acht, dass Jakob mit seinem Nachwuchs den Gehsteig nicht verlässt." Hört sich das gut an? „Drauss uff de Schossee batrolliert de Schandaam und basst uff, dass de Schack met seim Bobbelsche scheen uffem Trottwa bleibt." So ist es besser, findet auch eine Leserin aus Zweibrücken, die ungenannt bleiben will, uns aber eine kleine Geschichte auf Französisch-Pfälzisch geschickt hat.

„Mach (mer norre) kä Fis(s)imatente" – schon allein dieser Spruch ist der ausführlichen Betrachtung wert, selbst wenn er nicht nur in der Pfalz bekannt ist, denn er birgt Überraschungen. Klar ist: „Fisimatente" – sprich: Fissemadende – steht im pfälzischen Sprachgebrauch für „dummes Zeug" (so Holger Marschner aus Hüffler), „Blödsinn" (Thomas Schneider, Kirchheim), „Unfug" (so Robert Jentzsch aus Speyer) oder „Schikane, Ablenkungsmanöver, Täuschungsversuch, absichtlich aufgetürmte Schwierigkeiten", wie Jürgen Schatz aus Frankenthal ergänzt. Und über den Ursprung sind sich fast alle einig:

„Zur Zeit der napoleonischen Kriege, als die französischen Soldaten in ihren Lagern auf Befehle warteten, machten sie den einheimischen Damen eindeutige Angebote: Visitez ma tente! (Besuchen Sie mich in meinem Zelt!) Deshalb rieten besorgte Mütter ihren Töchtern: Mach bloß keine Fisimatenten." – Das schreibt Goda Höffner aus Kaiserslautern, und ähnlich formulierten etwa 25 Leserinnen und Leser aus der gesamten Pfalz ihre Erklärung.

Man könnte meinen, das Problem sei gelöst – höchstens zu ergänzen um den Vorschlag von Michael Rubly, der „pas de filles dans la tente!" (Keine Mädchen im Zelt!) als Ursprung ver-

„Mach jo kä Fisimatente!"

mutet. Denn die Version „Untersuchen Sie meine Tante nicht!" (von „ne visitez pas ma tante!"), die ein Anrufer vortrug, lassen wir als originelle Einzelmeinung im Raum stehen; Visiter hieße hier untersuchen im Sinne von überprüfen, zum Beispiel beim Zoll. (Ob die Tante schmuggelt?)

Doch es bleiben Zweifel an der Mehrheitsmeinung. Die Redensart habe wohl eine Umdeutung erfahren, stellt Robert Jentzsch fest und trifft den wunden Punkt: Um unmoralische Angebote geht es bei „Mach kä Fisimatente" nicht. John Adrian Hannah aus Kaiserslautern verweist auf das Wort „Fisipatenten", wie es in „Kluges Etymologischem Wörterbuch" zu finden sei, vom lateinischen visae patentes („Papiere!" oder „Ihr Ausweis, bitte!"). Das sei zu einer „spöttischen Auffassung des Bürokratischen" geworden.

„Es ist eine interessante Beobachtung der pfälzischen Mentalität", schreibt der Leser aus Kaiserslautern, „dass man die erste Erklärung (Besuchen Sie mein Zelt) häufig hört, die zweite fast nie. Die Pfälzer finden sich anscheinend eher damit ab, dass der verführerische Franzmann die Pälzer Määd anbaggerte, als dass sie zugeben wollen, von ihren eigenen Landsleuten bürokratisch schikaniert zu werden."

Aber auch John Adrian Hannah könnte falsch liegen: Für Fisimatenten hat Kluges kluges Wörterbuch nämlich ebenfalls einen Eintrag reserviert, wie Sonja Möller (Burrweiler) und Harald Laubscher (Niederkirchen) herausgefunden haben: „Ausflüchte, Winkelzüge", wird als Übersetzung genannt, abgeleitet vom mittelalterlichen Wort „Fisiment" für „bedeutungslosen Zierrat". Und: „Zahlreiche andersartige Erklärungen können nicht hinreichend belegt werden", heißt es in dem Buch.

Was nun, liebe Leserinnen und Leser? Abschied nehmen vom schönen „Besuchen Sie mein Zelt"? Oder weiter an napoleonische Verführungsversuche glauben? Sie haben die Wahl …

Folge 7, erschienen am 6.6.2002

„Es Hussje"

Der niedliche Kuckuck
Keine Angst vorm Geldeintreiber

Ja, ja, Frankreich. Es war vor Beginn der Fußball-Weltmeister-schaft des Jahres 2002 (als es in unserer Serie um „ebbes" und „alla" ging), da hat uns Joachim Lehmler aus Ludwigshafen geschrieben. Er hatte doch tatsächlich den Schlachtruf der fran-zösischen Nationalmannschaft „Allez les bleus!" – deutsch: Auf geht's, ihr Männer in den blauen Leibchen!) liebevoll in Noten festgehalten: „Immerhin", so fügte er hinzu, „hat es Frankreich damit zum Welt- und Europameister gebracht." „Jo, alla", ist man heute geneigt anzumerken. Denn: Viel erfrischender, als es das Gekicke der „Blauen" im Sommer 2002 war, sind die pfälzisch-französischen Sprüche unserer Leserinnen und Leser.

„Wääscht schunn, bei 's Mayers war de Hussje!" Unter ande-rem Heinrich Rudolphi aus Ramstein-Miesenbach hat uns auf-merksam gemacht auf diese pfälzische Übernahme. „Hussje" (französisch: „huissier" – Gerichtsvollzieher) steht auch in der Pfalz für jenen Amtmann, „der kummt, wann äner net bezahle will", so Ingeborg Schäzler, Ludwigshafen. Der Trick dabei: In der pfälzischen Version wird durch die vermeintliche Verkleine-rungs-Endsilbe „-je" aus der Bedrohung ein harmloses Problem-chen. Viele Westpfälzer verniedlichen noch weiter und sagen „es Hussje", was dem Mann mit dem Kuckuck endgültig sei-nen Schrecken nimmt.

Apropos: Der „Schwollesche", nach dem wir ebenfalls gefragt hatten – anders als „es Hussje" so gut wie nicht mehr gebräuch-lich –, war ein Soldat der leichten Kavallerie („chevaux légers" – wörtlich: leichte Pferde), wie unter anderem Hubert Vollmer aus Ludwigshafen erklärt, dessen Großvater den Ausdruck noch gebraucht habe. „Bewaffnet mit Säbel, Pistole und leichtem Karabiner", ergänzt Peter Kunz aus Annweiler. Hätten Sie's gewusst? Und es kommt noch besser: Das Armeemuseum in München verfüge über sämtliche Informationen zum Königlich-Bayerischen Schwolleschee-Regiment, wie uns ein Leser am Telefon mitteilte.

Wolfgang Meiler aus Neustadt bringt die „pfälzische Frankreichreise" als schillerndes Beispiel für französisches Pfälzisch ins Spiel: „Die geht iwwer Scheslong, Waschlafor, Rockfor direkt noch Paris." Also über ein Sofa ohne Lehne, dafür mit Kopfteil („chaise longue – langer Stuhl"), eine Waschgelegenheit („lavoir – Waschhaus") und natürlich den berühmten Käse, der allerdings tatsächlich aus der gleichnamigen Stadt stammt.

„War's Hussje bei eich?"

Ein nicht allzu wohlriechender Hauch von Nostalgie schwebt über der Einpfälzerung „Bottschamber" (eingeschickt von Elvira Steger-Fehn aus Speyer), wenngleich nach unseren ausgiebigen Recherchen heute nicht mehr viele Nachttöpfe („pot de chambre") unter Pfälzer Betten stehen. Sogar Herb Groh aus Brampton im kanadischen Ontario hat uns gemailt und auf den Pfälzer „Paraplie" verwiesen, der natürlich vom französischen parapluie abstammt. Jetzt, liebe Leserinnen und Leser, machen wir aber „ä bissel dusma", soll heißen langsam (von „doucement" – sanft" mit unserem französisch-pfälzischen Exkurs. Und lassen es erst mal gut sein. Nicht ohne an *den* pfälzischen Lehrspruch für den Französischunterricht zu erinnern: „Le boef – der Ochs, la vache – die Kuh, ferme la porte – mach's Dierle zu."

Folge 8, erschienen am 20.6.2002

„Des laaft wie 's Lottsche"

Die hohe Kunst des Dischbedierens

Dem „Lottsche" auf der Spur

Pfälzer sind sich selten einig. Oder andersrum ausgedrückt: Am einigsten ist der Pfälzer mit sich selbst. Was vor allem daran liegt, dass nicht jede(r) Recht haben kann. Und weil nun einmal ein echter Pfälzer das Recht ganz selbstverständlich auf seiner Seite hat, gibt es an einem Tisch, an dem, sagen wir mal fünf Pfälzer sitzen, in der Regel auch fünf Meinungen („Norre kä Widerredd!"). Kurz gesagt: Es wird viel dischbedierd. Oder auf Hochdeutsch: Der hohen Kunst des Disputs wird in der Pfalz mit viel Liebe nachgegangen.

Dieser Leidenschaft können wir heute ein neues Kapitel hinzufügen. Woher nur kommt der Ausspruch „Es laaft wie 's Lottsche"?, das haben wir vor zwei Wochen gefragt. Und die Bandbreite der Antworten war sogar für pfälzische Verhältnisse erstaunlich – hervorragendes „Dischbedier-Material" sozusagen.

„Die Lotte kenne ich zwar nicht persönlich", schreibt Romy Hergemöller aus Rauenberg im Kraichgau, „aber der Spruch könnte vielleicht von der flotten Lotte herrühren, einem in Hausfrauenkreisen bekannten Gemüse-Passier-Sieb." (Es soll angeblich auch Männer geben, die das Ding kennen.) „Für mich als gebürtige Pfälzerin ist die flotte Lotte besonders wichtig zur Herstellung einer guten, echten Pfälzer Kartoffelsuppe", ergänzt die Leserin. Eine weitere Zuschrift erklärt: „Eine Art halbautomatisches Passiersieb, mit dem man auch Gemüse zerkleinern kann. Im vollautomatischen Zeitalter fast verschwunden, auf Flohmärkten noch zu finden."

Den kulinarischen Deutungsvorschlag unterbreitet auch Heinrich Bruch aus Altenglan, der aber noch eine zweite „Lotte" parat hat, nämlich das „Kuseler Lottsche": ein Pendelzug mit Dampflok (ohne Tender), der bis Mitte des 20. Jahrhunderts zwischen

Kusel und Landstuhl verkehrt sei – „wie heute der Transregio", erklärt der Westpfälzer.

Es wird noch besser: „Das unbekannte Lottsche ist möglicherweise keine Frau, sondern eine undichte Herbstlotte, also ein Fass mit großer Einfüllöffnung, mit dem man im Herbst die gemahlenen Trauben aus dem Feld nach Hause fuhr", schreibt Rainer Tempel aus Heuchelheim-Klingen. Herr Gabel aus Kaiserslautern wiederum ist der Meinung, das flotte Lottchen habe seinen Ursprung in einem Grubenwagen, der auf Schienen in Kohlebergwerke hinabrollte, und der auch als „Lore" bezeichnet wird. (Ob da vielleicht zwei Frauennamen verwechselt wurden?). Und Herr oder Frau Striegel aus Ludwigshafen schließlich hat uns eine Postkarte geschickt und auf eine Variante des Lottchens hingewiesen, die in Billigheim-Ingenheim geläufig sei: Auf der Postkarte steht kurz und bündig: „Flotte Lotte = Durchfall. Brrr." Noch Fragen, liebe Leserinnen und Leser? Oder haben Sie nun genug Stoff für Streitgespräche? Sie können sicher sein: Der Disput „werd laafe wie ‚s Lottsche".

Folge 9, erschienen am 4.7.2002

„Pänn mer die Gäns!"

Was einen Pfälzer nicht zu jucken braucht

Gänse und Gerichtsvollzieher

Es gibt seltsame Zufälle. Erinnern Sie sich? Vor ein paar Seiten hatte „Saach blooß" Besuch vom Gerichtsvollzieher, besser gesagt vom „Hussje" – der französisch-pfälzischen Version. Jetzt kommt er schon wieder. Ob uns das etwas sagen soll?

Die Redensart „Pänn mer (doch) die Gäns" ist zwar nicht so weit verbreitet wie „Rutsch mer de Buckel nunner", hat aber dieselbe Bedeutung: „Bleib mir weg mit deinem Kram!", „Da pfeif' ich drauf!", „Was juckt mich das, du Blödmann!" (oder so ähnlich). Das bestätigen zum Beispiel Sabrina Kremb aus Heiligenmoschel sowie Gerda Gooß aus Enkenbach-Alsenborn, bei der es allerdings „de Buckel nuff" geht. (Man könnte in der Pfalz übrigens auch sagen: „Steich mer in die Dasch!", siehe Seite 81).

„Pfände mir (doch) die Gänse – nimm mir das Letzte, was ich noch habe", lautet die Übersetzung ins Hochdeutsche, die uns Simone Gens(äns)heimer aus Frankfurt-Sachsenhausen geschickt hat. Die Interpretation der Exil-Pfälzerin: „Bei mir ist nichts mehr zu holen." Friedrich Defiebre aus Ludwigshafen, der die Untersuchung des Spruchs in unserer Serie vorgeschlagen hatte, erzählt die Geschichte eines Bauern, der seine Schulden nicht bezahlen konnte, aber auch nichts mehr besaß, was hätte gepfändet werden können: „Da fragte der Gerichtsvollzieher, wie es mit dem Federvieh auf dem Hof aussehe. Leider waren aber die Enten dem Gerichtsvollzieher noch zu mager. Der Bauer, um eine Antwort nicht verlegen, schlug daraufhin vor: Dann pänn mer doch die Gäns, bis die Ente fett sinn!"

Eine schöne Erklärung, aber es gibt auch eine juristisch fundierte, und zwar die von Daniela Beisel: „Zurück geht dieser Spruch wohl auf den Paragrafen 811/I Ziffer 3 der Zivilprozess-

„Pänn mer die Gäns – un rutsch mer de Buckel nunner!"

ordnung, der dem Gerichtsvollzieher das Pfänden von Kleintieren verbietet. Insofern ist die Aufforderung ‚pänn mer die Gäns!' gleichbedeutend mit ‚rutsch mer de Buckel nunner'. Beides ist unmöglich beziehungsweise verboten." Das wiederum bedeutet: „Das Geschehen tangiert den Sprecher nicht oder ist ihm egal."

Wir haben sofort im Gesetzbuch nachgeschlagen und wollen Ihnen folgendes Zitat nicht vorenthalten (falls auch bei Ihnen einmal ungebetener Besuch erscheinen sollte): „Folgende Sachen sind nicht der Pfändung unterworfen: (…) Kleintiere in beschränkter Zahl sowie eine Milchkuh oder nach Wahl des Schuldners statt einer solchen insgesamt zwei Ziegen oder Schafe, wenn diese Tiere für die Ernährung des Schuldners, seiner Familie oder Hausangehörigen, die ihm im Haushalt, in der Landwirtschaft oder im Gewerbe helfen, erforderlich sind." Wenn das nicht mal eine gute Nachricht ist.

Folge 10, erschienen am 19.7.2002

„Viel Kraft, sonst nichts"

Schimpfen mit dem dicken D oder Die Kunst, Löcher zu bohren

Spielen wir mal „Sesamstraße" und nehmen wir uns, wie in der Kinder-Fernsehsendung, einen Buchstaben vor. Zum Beispiel das dicke D. Was für schöne Wörter man damit bilden kann! Dampflok, Darlehen, Dauerlutscher. War's das schon? Nein. Denn mit dem dicken D lässt sich – vor allem in der Pfalz – wunderbar schimpfen: Depp, Dabbes, Dabbschädel, Dussel, Dibbelschisser, Dreckspatz, Dummbabbler! Und natürlich: Dollbohrer! Nach dem hatten wir vor 14 Tagen gefragt, und zwei Dutzend Fachleute haben sich gemeldet.

> *„Depp, Dabbes, Dabbschädel, Dussel, Dibbelschisser,*
> *Dreckspatz, Dummbabbler! Und nadierlich: Dollbohrer!"*

Nicole Kroppen, Rheinländerin aus Frankenthal, erklärt das Wesen des Dollbohrers (im Ruhrpott übrigens: Heiopei) so: „Ein umständlicher, etwas ungeschickter Mensch, der die Geduld seiner Mitmenschen schon mal schwer auf die Probe stellen kann." Ein anderer Leser hielte bei dieser Beschreibung eher die Bezeichnung „Dabbes" für angebracht, während das Hauptkriterium, das ein Dollbohrer erfüllen müsse, „die geistige Beschränktheit" sei. Helmut Kern aus Wörth vermutet, in dieselbe Richtung gehend, dass der Ursprung des Worts in „toll geboren" liegt. Hans-Walter Heil aus Göllheim widerspricht: „Einen Dollen nennt man den Holz- oder Metallzapfen am Fischernachen, in dem das Ruder angehängt wird. Um den Dollen bewegen zu können, musste in den Bootsrand ein Loch gebohrt werden, und zwar mit dem Dollenbohrer." Wenn, so vermutet Heil weiter, ein Anfänger bei dieser leichten Aufgabe etwas falsch gemacht hat, „wurde er halt ausgeschimpft, vielleicht schon damals mit: Du Dollbohrer!" Die Nähe zu „doll geboren", so räumt der Leser allerdings ein, könte immerhin dazu beigetragen haben, dass dieses Uzwort entstanden ist.

Heils Ansicht, der „Dollbohrer" stamme ursprünglich aus Worms, wird übrigens von Helmut Lott geteilt, der als Wormser und ehemaliger Hafenmeister in Ludwigshafen doppelter Experte ist: „Dollbohrer ist ein Wormser Begriff", bestätigt er, die seemännischen Ruder-Dollen allerdings seien holländischen Ursprungs.

Aber auch in der Westpfalz und im Zimmermannshandwerk sind „Dollen" allseits bekannt, sagt Christian Meckbach aus Landstuhl: „Im Fachwerkbau wurden die verzapften Balken mit Dollen, das heißt Holznägeln, zusammengehalten. An den vorgezeichneten Stellen bohrte der Dollbohrer das Loch für die Dollen. Dazu brauchte es – im Gegensatz zum Sägen der Zapfen und Ausstemmen der Zapfenlöcher – kaum besondere (geistige) Fähigkeiten, halt viel Kraft, sonst nichts." Ein Job für einen Dollbohrer.

Karin Jung aus Elmstein berichtet im Begleitbüchlein zum Handwerker-Museum in Freinsheim vom Zimmerer-Lehrling, „der bestenfalls stundenlang Holznägel machen, gelegentlich auch Dollenlöcher bohren durfte: Eines Tages hatte sich wohl so ein armer Stift beim Dollenbohren so doll angestrengt, dass er selbst ganz doll wurde und seine Kumpel ihn fortan Dollbohrer riefen." Doll, gell?

Auf ein völlig anderes Gebiet führt der dolle Hinweis von Rudolf Wild aus Annweiler, wonach der Dollbohrer früher ein medizinisches Gerät gewesen sei. Und zwar nicht irgendeines, sondern eines, das in der Gehirnchirurgie Verwendung gefunden habe. Er verweist auf das „Feldtbuch der Wundarzney" aus dem Jahr 1517, in dem sogar ein Stich abgedruckt ist: Ein ängstlich nach oben schauender Kopf, in dessen Schläfe mittels eines schraubenzieherartigen Geräts – des Dollbohrers – ein Loch gebohrt wird. Diese Heilmethode allerdings findet „Saach blooß" nicht so doll …

Folge 11, erschienen am 2.8.2002

„De Dollbohrer" 43

„Dabber, dabber!"

Der Ursprung von „Dabber, dabber" ist schnell erklärt, aber ...

Alles ist relativ. Besonders in der Pfalz. Oder anders gesagt: Was ist schon eine satte Mehrheitsmeinung gegen das schöpferische Walten der Phantasie?

Unsere Suche nach dem Ursprung des Spruchs „Jetzt aber dabber!" oder „Dabber, dabber!" hat, wie es sich für diese Redensart gehört, flott ein Ergebnis gebracht: „Die Frage ist eindeutig und ohne jeden Zweifel dahin zu beantworten, dass sich das genannte Wort von dem hochdeutschen „tapfer" ableitet. „Wer tapfer drauflosläuft, läuft schnell." Das schreibt unmissverständlich Manfred Hermann aus Neustadt, und viele Leser haben uns eine ähnliche Erklärung geschickt. Zum Beispiel Walli Dury aus Waldfischbach-Burgalben, die noch ergänzt, „dass man zu einem Kleinkind, das gerade laufen gelernt hat, oft sagt: Dabbersche, komm her!" Soll heißen: Sei tapfer, Baby, und lauf (am besten schnell)!

„Dabber muss von tapfer kommen", sagt auch Dörte Damm aus Bad Bergzabern, die darauf hinweist, dass im Mittelhochdeutschen „dapper" so viel wie kühn, mutig, unerschrocken bedeutet habe und daher zum heutigen „tapfer" geworden sei. Und Ellen Votteler aus Neustadt erinnert nicht weniger fachkundig daran, dass die Pfalz die zweite Lautverschiebung nicht mitgemacht habe, wodurch Pund, Parre und Palz erhalten geblieben seien anstelle von Modernismen wie Pfund, Pfarrer und Pfalz. Und so habe in der P(f)alz halt auch das Wörtchen „dapper" einfach tapfer allen sprachlichen Entwicklungen getrotzt: Keine Chance fürs „pf".

An dieser Stelle aber nun greift die Pfälzer Relativitätstheorie: Mit guten Argumenten überzeugen lassen Pfälzer sich relativ schnell, aber glauben tun sie (alles ist relativ) am Ende

„Dabber, dabber, ihr Kinner!"

doch, was sie wollen. Zum Beispiel an die wunderbare Erklärung von Ute Huf aus Stahlberg, bei „dabber" könne es sich um eine Einpfälzerung des französischen „d'abord" oder „tout d'abord" (deutsch: zuerst) handeln, „also um etwas, das zuallererst erledigt werden muss". Oder an die Lesart von Ludwig Hutzelmann aus Schifferstadt, für den „dabber" von dappen oder tappen kommt. Er reimt: „Die Dabbe sind die Fußabdrück, ein Dabber ist ein großer Schritt, und soll man einmal schneller geh'n, kann nur noch dabber, dabber entsteh'n."

Oder ist das Wort vielleicht durch Verkürzung aus „jetzert awwer" entstanden, wie eine Kollegin in der Redaktion mutmaßt, und zwar über die Versionen jetzert abber, itztabber, d'abber? Oder wie wär's damit: „Dabber" stammt aus dem Russischen, wo „schnell" nämlich „dawai" heißt? Uwe Kuhn aus Sankta Anna schließlich zitiert aus dem Märchen „Der dicke fette Pfannkuchen" von Anne Heseler, wo es heißt: „Und er ging kantapper, kantapper in den Wald hinein". Relativ witzig, nicht wahr?

Wenn Sie eine bessere Erklärung haben sollten, dann lassen Sie es uns bitte wissen. Aber dabber, dabber! Oder, wenn es Ihnen so lieber ist: Hopp, hopp!

Folge 12, erschienen am 15.8.2002

„Du machscht mich heckewelsch!"

Blödsinn und bizarre Formen

Wenn Pfälzer ihre Ruhe brauchen

Ein leiser Vorwurf klingt durch: Diese Redensart, schreibt Manfred Hermann aus Neustadt, „wird in der Pfalz wohl kaum jemandem unbekannt sein". Ob das stimmt? Man kann es wenigstens vorsichtiger formulieren: Wer gerne und gerne auch viel redet – was in der Pfalz hin und wieder vorkommen soll, wie man aus gut unterrichteten Kreisen hört –, dem ist besagter Spruch, kombiniert mit einem Stirnrunzeln, das Nüsse knacken könnte, gewiss nicht fremd. Oder? Was meinen Sie? Und wenn ja, warum?

„Der macht mich ganz heckewelsch mit seiner blöden Einleitung", mögen Sie jetzt denken. Und Sie haben Recht. Denn um diesen Spruch geht es in diesem Kapitel, das sich der alltäglichen Verwirrung widmet. „Heckewelsch" bedeutet „durcheinander", wie Leser Hermann weiter schreibt. Unzweideutiger Unterton: „Lass mich in Ruhe!" Dabei ist der Ursprung der zweiten Hälfte des Wortes schnell erklärt: „Welsch" ist Sammelbegriff für alles Romanische, vor allem im französischsprachigen Teil der Schweiz, aber auch fürs Französische und das Italienische, berichtet Albert H. Keil aus Dirmstein. Das Wort entwickelte seine Bedeutung weiter zum Oberbegriff „fremdländisch" und wurde später zu „unverständlich". Da ist es zum (Sprach-) Durcheinander nicht mehr weit.

Doch während die Bedeutung von „welsch" – erhalten auch in „Kauderwelsch" (ursprünglich aufs schwer verständliche Rätoromanisch bezogen, wie Ellen Votteler aus Neustadt erklärt) – weiter klar erkennbar mit dem Thema Sprache verbunden ist, steht die Kombination „heckewelsch" auch für die Verwirrung im Allgemeinen: ausgelöst von jemandem, der sich auffällig verhält, der Blödsinn macht. Es stellt sich also die Frage, was die „Hecke" mit „welsch" zu tun hat und in welcher Form sie zur allgemeinen Verwirrung beiträgt. Es könnte, vermutet Albert H. Keil, auf die Gewohnheit der französischen Landschaftsgärtner zurückgehen, „Hecken in möglichst bizarren Formen zu züchten oder sie in solche zu schneiden. Heckewelsch würde dann bedeuteten, sich so verrückt zu benehmen, wie Hecken in einem französischen Garten oder Park eben aussehen." Manfred Hermann erklärt, „die Hecke mit ihren vielen, häufig kreuz und quer verlaufenden, nach woher und wohin nur schwer zuordenbaren Ästen und Zweigen" stehe – anders als der Baum mit seinen klaren Linien – schon für sich allein genommen für Durcheinander.

Das „Pfälzische Wörterbuch", immer für eine Überraschung gut, löst die Bedeutung der Einzelteile von „heckenwelsch" zwar auch nicht auf, liefert aber eine fruchtbare Erklärung für „hecken": Das stehe für „Junge hervorbringen". Beispiel: „Die hecken wie die Stallhase." Das hilft uns zwar nicht wirklich weiter, ist aber fast so schön wie der Hinweis von Elsbeth Fix aus Bad Dürkheim, die schreibt, „heckewelsch" könnte doch die umgedrehte Kombination zweier hochdeutscher Wörter sein: „Wel(s)che Hektik."

Folge 13, erschienen am 30.8. 2002

„Petz emol em(e) Ochs ins Horn!"

Armes Schwein mit Hörnern

Doppelt und dreifach geschlagen: der Pfälzer Ochse

Es ist schon ganz schön ungerecht: Der Ochse, als entmannter Stier ohnehin vom Schicksal nicht gerade verwöhnt, hat in der Pfalz einen schweren Stand. „Der fresst/sauft/schnauft/brillt wie en Ochs" – das sind keine besonders schmeichelhaften Beschreibungen. Wenn jemand nicht durchblickt, dann steht er „wie de Ochs vorm Berch" oder „guckt wie en Ochs, wann's blitzt" – wobei hier auch die Version „wie e Kuh, wann's blitzt" bekannt ist und so dem Ochsen wenigstens eine kleine Wiedergutmachung widerfährt. Doch was hilft das gegen die (für Rindviecher) frustrierende Breitenwirkung des Schmährufs „bleeder Ochs"?

Und stur ist er auch noch. Das zeigt sich in der Redensart, nach deren tieferer Bedeutung wir gefragt hatten: „Petz emol em(e) Ochs ins Horn!" Manfred Hermann aus Neustadt schreibt: „Einem Ochsen ins Horn, einem Elefanten in den Stoßzahn, einem Nashorn ins Nashorn oder einer Schildkröte in den Panzer zu petzen, stellt wegen der weitgehenden Gefühllosigkeit des Petz-Gegenstands ebenso den untauglichen Versuch dar, das an einer unempfindlichen Stelle gezwickte Geschöpf zu einem bestimmten erwünschten Verhalten zu veranlassen wie die einem dickfelligen Menschen gehaltene Gardinenpredigt folgenlos verhallt oder der an ihn gerichtete Moralappell sich als vergebliche Liebesmüh' erweist." Man könnte auch, wie Kurt Scherff aus Obrigheim-Mühlheim, sagen: „Gegen Dummheit hilft kein Doktor", wenn „uneinsichtige Menschen nur ihre eigene Meinung gelten lassen", wenn sie „sich nicht belehren lassen und sie nicht einmal richtig zuhören", wie Ilse Zammitto aus Speyer ergänzt. „Der merkt doch nix meh", hat – wenn auch ohne konkreten Ochsenbezug – sogar den Weg in die Jugendsprache gefunden.

Persönliche Erfahrungen mit leibhaftigen Ochsen führt Arnold Ganter aus Obersülzen ins Feld: „Als Jugendlicher führte ich Ochsen und Kühe zum Zackere (Pflügen) im Feld am Kopf. Selbstverständlich ließen sich die Tiere nicht durch Petzen an den absolut gefühllosen, unempfindlichen Hörnern steuern." – „So is es bei Mensche ach", sagen „die Karin und die Elke vun de Haßlocher Sparkass": „Die sin so stur wie's Ochsehorn."

Hannelore Köhmann schreibt, dass ihre Mutter, „eine Lingenfelderin, auf dem Bauernhof aufgewachsen", den Ochs-ins-Horn-Spruch oft verwendet habe: „Wenn mein Vater oder ich etwas nicht einsehen wollten, dann sagte sie: Was soll ich noch redde, des isch soviel, wie wann ich em Ochs ins Horn petz." Übrigens: Auch zwei sinnverwandte Sprüche haben mit Tieren zu tun: „Da kann man sagen, was man will, es ist alles für die Katz" (schreibt Frau Holländer aus Dudenhofen) und „Ropp emol em(e) Frosch e Hoor (e)raus" (eingeschickt von Hertha Wehr aus Kaiserslautern).

Bleibt uns noch ein Gesundheits-Hinweis für unsere Leserinnen und Leser: Probieren Sie das Ochs-ins-Horn-Petzen nicht aus! Dazu noch einmal Manfred Hermann: Es bestehe dann die Gefahr, „dass der Horn-Zwicker mit selbigem (dem Horn) höchst unsanft in Kontakt gerät – nicht etwa deshalb, weil der Hornträger das Petzen eben doch als schmerzhaften Affront versteht, sondern weil er den sich dicht nähernden Kneifer als lästigen Störenfried und Aggressor empfinden würde". Also: Lassen Sie die armen Ochsen am besten in Ruhe.

Folge 14, erschienen am 27.9.2002

„Futtichel" und „Poodehammel"

Liebe auf den ersten Stich?

Die Pfälzer und ihre Plagegeister

Denken Sie sich einmal in ein Fernsehratespiel. Privatsender. Wenn Sie dann der Quiz-Schau-Meister, sagen wir bei der Eine-Million-Euro-Frage, nach einem seltsamen pfälzischen Tier fragen würde, die Antwort könnte doch nur „Elwetritsch" lauten. Jenes aus verschiedenen Spezies zusammengesetzte Pfälzer Fabeltier, welches Neubürger, leere Säcke in die Luft haltend, vorzugsweise nachts in Weinbergen einzufangen versuchen, während die Pfälzerinnen und Pfälzer sich lachend ins Bett legen. Eine Superlösung auf die Quizfrage, meinen Sie? Denken wir mal weiter: Was würde der schwitzende Mann oder die schwitzende Frau auf dem Ratestuhl wohl tun, wenn plötzlich als Alternativen der „Fudd(tt)ichel" und der „Po(o)dehammel" ins Spiel kämen? Aufgeben wahrscheinlich. Weil wir verhindern wollen, dass diese Vision Wirklichkeit wird, haben wir unsere Leserinnen und Leser nach den seltsamen Viechern gefragt.

Klar zu sein scheint: In den Begriffen „Podehammel" und „Fuddichel" verbergen sich die Wortstämme „Hammel" und „Igel". Doch hilft uns das weiter? Nein. Immerhin, Ewald Kraus aus Ludwigshafen bringt etwas Licht ins Dunkel; er hat allen Ernstes in einer launigen Stunde „vor ungefähr 14 Jahren" einen „Podehammel-Blues" gedichtet. Strophe drei:

> *„Bei manche heeßt des Tier e Schnook,*
> *bei annre heeßt's e Mick,*
> *dann gibt's a noch de Wewerknescht*
> *un noch viel mehr zum Glick.*

Un wenn jetzt enner Hochdeitsch kann,
dann werd'em glei schunn klar,
dass des in jedem Änzelfall,
en Poodehammel war."

Schon kommen wir der Sache näher. Wäre es so verwunderlich, wenn in einer Region, in der der ehemalige Regierungspräsident Paul Schädler als „Schnooke-Paul" verehrt wird, die gemeine Schnake gleich unter mehreren seltsamen Namen ihr Unwesen treiben würde? Wenn selbst in der sonst so einigen Pfalz Grundsatzdebatten darüber geführt werden, ob „ä Migg" denn nun ein stechendes (eine Schnake) oder ein surrendes Tier (eine Mücke) ist? Wenn Wissenschaftler von weltweit 13.500 Schnakenarten (Lateinisch: Diptera) ausgehen, von denen satte 300 in Mitteleuropa heimisch sind?

Tatsächlich verbergen sich hinter den beiden Begriffen „Poodehammel" und „Futtichel" langbeinige, zweiflügelige Stechbiester. Edith Hambel aus Kerzenheim hat die Beobachtung gemacht, dass „die Plagegeister, die einem mit ihrem ätzenden Gesumme die Nachtruhe und mit ihrem piekenden Rüssel kostbares Blut rauben", in ihrem Wohnort als „Podehämmel", fünf Kilometer weiter aber, in Hettenleidelheim, als „Futtichel" bezeichnet werden. Die Begriffsverwirrung ist perfekt. Um diese noch ein wenig zu forcieren, schreibt „uwoesp" per E-Mail, dass in der Pfalz auch Korn- oder Fruchtfliegen als „Futtichel" bezeichnet werden, die immerhin nicht stechen. Ein Leser aus dem Kreis Kusel, dem die „Futtichel" aus seiner Zeit in der Vorderpfalz bekannt sind, schreibt: „Nach meinen Erfahrungen bezeichnet man so die winzig kleinen Mückchen, die an Sommerabenden geradezu wie ein Wolkenbündel auftraten oder die sich am Rande von Weingläsern oder Speisen einfanden."

Das „Pfälzische Wörterbuch" bietet als einzige Erklärung für den Ursprung des Begriffs „Futtichel", dass dessen erste vier Buchstaben, schnell gesprochen, in etwa jenes Geräusch erzeugten, das zu vernehmen ist, wenn eine Schnake an einem Ohr vorbeizischt (kein Witz!). Bei „Poodehammel" allerdings haben es die Forscher noch nicht mal mit einer so abstrusen Erklärung versucht: „Die Herkunft des Wortes ist ungewiss", heißt es lapidar. Bei „Futtichel" könnte nach Einschätzung von „uwoesp" immerhin auch das lateinische Wörtchen „futtilis" Pate gestanden haben, das unter anderem „nichtig" bedeutet: weil die Viecher so winzig sind. „Saach blooß" hält dagegen: „Nichtig" wären sie wohl eher dann, wenn sie nicht stechen würden …

Die Pfälzer müssen sich also weiter weitgehend unerklärterweise mit „Poodehämmel" und „Futtichel" herumschlagen. Doch – das haben die Einsendungen zu dieser Folge und intensive Recherchen ergeben – wenigstens in der Westpfalz sind die Viecher weitgehend unbekannt. Ist das gerecht?

Folge 15, erschienen am 17.10. 2002

„Ferdich wie e Rieb"

Immer hoch, die Gellerieb!

Abgründe tun sich auf:
Die Pfälzer und ihr Umgang mit der Rübe

„Erschöpft, kaputt, mit den Kräften am Ende" (sagt Manfred Hermann aus Neustadt), „nervlich und moralisch am Ende, nichts mehr hören und sehen wollen" (meint Elsbeth Fix aus Bad Dürkheim), „fix und alle" (schreibt Sigrun Janson aus Minfeld), „körperlich und geistig ausgelaugt" (konstatieren „die Karin und die Elke vun de Haßlocher Sparkass"), „müde von der Arbeit oder ähnlichem Stress, bei Bier und Wein versackt, so dass man sich am nächsten Tag kaum auf den Beinen halten kann" (so die Erklärung von Kurt Scherff aus Obrigheim-Mühlheim) – so viele Worte braucht es, um auszudrücken, was auf Pfälzisch ganz einfach heißt: „Ferdich wie e Rieb."

Zugegeben, unsere Frage nach dem Ursprung dieses Spruchs offenbarte eine gewisse Ahnungslosigkeit, was die verborgenen Abgründe der pfälzischen Landwirtschaft betrifft. Wir hätten zumindest vermuten können, was manche Menschen mit harm-, wehr- und rechtlosen Rüben (übrigens auch „Rummele" genannt) alles anzustellen wagen. „Eine Futterrübe oder eine Zuckerrübe wird erst unsanft aus dem Boden gerissen, gerüttelt und geklopft, damit der grobe Dreck abfällt, und zu guter Letzt gemahlen und gepresst, damit sie ihren Saft preisgibt", schreiben die beiden Leserinnen aus Haßloch, und Kurt Scherff, der früher in einer Zuckerfabrik gearbeitet hat, berichtet gar, wie die Rübe „so fertig gemacht wird", dass am Ende nur noch kleine Schnitzel übrig bleiben, die wiederum gekocht werden.

Je eingehender man sich mit dem Schicksal der gemeinen Rübe befasst, desto mehr regt sich Mitleid. Denn bei genauem Hinsehen wird es immer brutaler: Den Rüben wird bei der Ernte mit einem „Hau-Messer", in Ostdeutschland auch „Hippchen" genannt, „der Kopf abgehauen", wie Ludwig Hutzelmann aus Schifferstadt weiß. Kein Wunder, dass die „Rieb" zum pfälzischen Synonym für den Kopf schlechthin wird. Der „Dez" – von la tête – ist französischen Ursprungs, die „Birne", auch wenn so mal ein Pfälzer Kanzler tituliert wurde, gehört zum hochdeutschen Sprachgebrauch. Apropos: Hans-Peter Kohl aus Standenbühl schreibt: „Die Riebe hot mer frieher reiheweis aus 'em Bodde gezoche und dann hot mer ne de Krutze abgeschlaa – un wann em de Krutze abgeschlaa is, isser arch ferdich." Die Zuschrift immerhin eines Lesers eröffnet wenigstens eine Interpretationsmöglichkeit, bei der nicht der Mensch verantwortlich ist für den erbarmungswürdigen Zustand der Rübe. Er fragte nämlich: „Hänse noch kenn Rieweacker in de pralle Summerhitz do liche sehe, wie alles die Flichel hänge losst?"

Trost spendet – so oder so – Hannelore Köhmann aus Ludwigshafen. „Woanders sagt man aufmunternd: Lass den Kopf nicht hängen, bei uns Pfälzern heißt es: Isch die Laach (oder: de Daach) ach noch so trieb, immer hoch die Gellerieb." Sie erinnert sich auch daran, dass Kinder früher gemeinsam aus dicken Futterrüben „Riewelichter" geschnitzt haben, ähnlich den heutigen Halloween-Kürbissen: „Da tönte es auch immer: Mei Rieb isch ferdisch." Zufall?

Doch zurück aufs Feld. Denn fertig war nach der Rübenernte nicht nur das Gemüse. Arno Limburg aus Böhl-Iggelheim erzählt: „Ende der 50er, Anfang der 60er Jahre half ich meinem Onkel beim Verladen der Zuckerrüben auf Lkw-Anhänger. Dazu benutzte man spezielle Rübengabeln oder warf die Rüben per Hand paarweise auf den Hänger, der zu einer festgelegten Zeit wieder abgeholt wurde. Hinterher war ich immer ferdich wie e Rieb."

Folge 16, erschienen am 31.10. 2002

„Mach's wie en Dachdecker!"

Anarchie auf Pfälzer Dächern?

Wie ein Berufsstand zu seiner Redensart kam

Reden wir mal übers Handwerk, das bekanntlich goldenen Boden hat. Das heißt – hier wird's schon schwierig. Gilt diese Weisheit auch für Dachdecker, die eher selten mit beiden Füßen auf der Erde stehen? Wir wollen's im Interesse des Berufsstands mal hoffen. Uns interessieren aber – ehrlich gesagt – die Umsatzzahlen der Dachdeckerbranche deutlich weniger als die drängenden Fragen, die ein anderer weit verbreiteter Ausspruch aufwirft: „Des kannschd' mache (halte) wie en Dachdecker."

„Die Redensart werd hauptsächlich gebraucht, wann änner ä Entscheidung se treffe hot, die zwää Meglichkeite zulosst", schreibt Wolfgang Noé aus Neustadt. Und Ludwig Hutzelmann, Zimmerermeister a. D. aus Schifferstadt, sagt: Wer „seinen Gesprächspartner umständlich um Rat fragt, der bekommt die schnoddrige Antwort: Des kannschd' jetzt grad mache wie en Dachdecker!" Soll heißen: „Der Befragte hat sich nicht festgelegt, und der Fragende weiß genauso viel wie vorher." Als Variante ist zudem geläufig: „Des kannschd' mache wie seller uffem Dach!", ergänzen Helmut Strunz aus Edesheim und Dieter Weinzierl aus Bobenheim am Berg.

Nur: Was hat offenkundige Entscheidungsunfähigkeit mit dem Decken eines Daches zu tun? Karl Heinz Ester aus Bad Dürkheim meint, der Dachdecker habe doch auch die Wahl: „Er kann (wenn's ihn drängt) auf der einen oder auf der anderen Seite des Dachs heruntersteigen." – „Er kann riwwer oder niwwer vum Dach, des is egal", sagt's Ingrid Hoffmann aus Offenbach auf Pfälzisch. Der tiefere Sinn: Dass es offenkundig unerheblich ist, welchen Weg der Dachdecker wählt, soll dem Unentschlossenen verdeutlichen, dass seine vermeintlich so wichtige Entscheidung von eher nachrangiger Bedeutung ist.

Man kann es auch anders sehen: Gleich drei Leserinnen, Liselotte Walter aus Ludwigshafen, Ingelore Ziegler aus Maikammer und Ruth Strauch aus Zweibrücken, stellen nicht die Unwichtigkeit sondern den freien Willen des Handwerkers in den Vordergrund: „Der kann machen, was er will." (Womit die drei gar nicht so falsch liegen dürften, wie jeder weiß, der einmal um 12 Uhr mittags noch immer auf den für acht Uhr morgens angekündigten Handwerker-Besuch gewartet hat.) Noch freiheitlicher ist die Erklärung von Thomas Touzimsky: Der Spruch komme daher, dass die Arbeit der Dachdecker nicht kontrollierbar war, „da keiner der Bauherren den Mut hatte, auf das Dach zu klettern um nachzusehen, ob alles in Ordnung ist". Feigheit als Rechtfertigung für Anarchie auf deutschen Dächern? Allerhand.

Eine nicht allzu appetitliche Episode schildert ein Leser aus der Südpfalz, der mit seinen Kollegen eines Tages vor vielen, vielen Jahren mit der Verbretterung eines Dachs einer Kaserne in Bergzabern beschäftigt war: „Ein tüchtiger Geselle, der mal musste, wählte die nach seiner Meinung richtige, weil von unten nicht einsehbare Möglichkeit. Er stieg zur Dachtraufe hinunter und ließ es im hohen Bogen strahlen, bis von unten ein lauter Fluch und der Ruf ‚Sauerei, Sauerei' heraufschallte." Bald darauf sei der Bauleiter erschienen und habe gefragt: „Wer war der Sauhund?" Denn: Sein heller Sommeranzug und auch er selbst waren von oben bis unten befleckt. Der Leser schließt seine Geschichte mit dem Bekenntnis: „Von uns erhielt er keine Antwort, denn wir mussten uns vor lauter Lachen an Sparren und Brettern festhalten." Und zwar um Abstürze zu vermeiden. Von welcher Seite des Daches auch immer.

Just zu diesem Thema kursieren auch zynische Interpretationen: „Des kannscht mache wie en Dachdecker: Der kann vorne orrer hinne erunner falle", berichtet zum Beispiel Klaus Juner aus Herschberg. Nicht weniger hart ist die Lesart, die Wolfgang Breyer aus Frankenthal kennt: „Mach's wie en Dachdecker: drowwebleiwe oder runnerfalle." Der Landauer Dachdeckermeister Werner Anselmann, im Laufe seines Berufslebens häufig mit dieser Deutung des Spruchs konfrontiert, klärt fachmännisch auf: „Ich hielt solchen Ansichten immer entgegen, dass der Beruf des Dachdeckers kein Himmelfahrtskommando ist und dass die meisten Abstürze nicht vom First aus geschehen." Vielmehr lasse sich der Spruch damit erklären, „dass der Dachdeckermeister in früheren Zeiten sich sowohl in der Zunft der Maurer als auch in der Zunft der Dachdecker eintragen lassen konnte". Man muss nur den Fachmann fragen.

Folge 17, erschienen am 15.11.2002

„De Griwwelbisser"

Von einem, der auszog, nach Krümeln zu suchen

Auch Pfälzer können ungenießbar sein

Erinnern Sie sich ans Spätjahr 2002, als ein entnervter Gerhard Schröder der deutschen Journalistenschaft lautstark Miesmacherei vorwarf – heftig vom eigentlichen Thema ablenkend: der Misere der Regierungspolitik? Das hat „Saach blooß" damals nicht ruhen lassen. Mit der Folge, dass der Kanzler es als erster Politiker schaffte, in einer Folge unserer Serie erwähnt zu werden:

Vorweg: Entschuldigung, Herr Bundeskanzler. „Saach blooß", die Serie über Pfälzer Sprüche und Redensarten – „anunfersich" wohlwollend, gut gelaunt und optimistisch – wird sich heute den dunklen, trüben, düsteren Aspekten des Lebens widmen. Aber, das wollen wir hier einmal in aller Deutlichkeit sagen: Es ist nicht (wirklich nicht!) Teil einer Medien-Kampagne gegen die Regierung, wenn wir uns angesichts der großen Krise auch noch einem der negativsten Pfälzer widmen: dem Griwwelbisser nämlich.

„Dieses Pfälzer Wort ist mir von Jugend an geläufig", schreibt Reinhold Jakob aus Roschbach, seine Mutter habe ihn schon am ersten Schultag vor dem Volksschullehrer gewarnt: „Des is en Griwwelbisser, dämm geht mer besser aus'm Wääch." Auch ein früherer Nachbar Jakobs war einer: „Er schaute immer aus dem Fenster und beobachtete die Leute. Einmal sagte die Mutter zu ihm: ,Franz, in Mörzem driwwe esch Kerwe'. Darauf der Nachbar: ,Du kennscht jo schunn driwwe sei!'"

Dem Wesen nach ist der Griwwelbisser also ein „Nörgler, Besserwisser und Rechthaber", sagt Klaus Juner aus Herschberg, oder – so Karl Heinz Ester aus Bad Dürkheim – „ein ungenießbarer, unzufriedener Zeitgenosse, der an allem etwas auszusetzen hat". Nur: Woher stammt das Wort? „Für mich hört sich

das eindeutig nach einem Griffelbeißer an", stellt Caroline Willrich aus Niederkirchen fest. Der Griwwelbisser wäre demnach ein Schreibstiftzerbeißer (wie auch Jürgen Jacob aus Kaiserslautern mutmaßt) oder, wenn man „Griffel" als Finger interpretiert, ein Mensch, der Fingernägel kaut.

Kurt Scherff aus Obrigheim-Mühlheim vermutet dagegen, „Griwwele" komme von Krümeln, pfälzisch auch „Riwwele". Das würde erklären, warum ein Griwwelbisser „in den Krümeln sucht", bis er etwas findet, worüber er motzen kann. Klaus Juner wiederum kommt bei seinem etymologischen Gedankenspiel die Griebenwurst in den Sinn, „benannt nach den Speckstückchen" in derselben. Ein Griwwelbisser sei also ein Mensch, „der sogar die Grieben aus der Wurst griwwelt (puhlt)".

Manfred Bauet aus Ludwigshafen ist stattdessen auf „Grübeln" als Erklärung für „Griwwel" gestoßen, ein Griwwler wäre also „ein Grübler, der über alles nachdenkt und aus jeder Kleinigkeit ein Problem macht". Dazu Karin Schmidt aus Hettenleidelheim: „Mein Mädchenname war Grübel, und ich war ganz stolz, weil ich mir darunter immer einen klugen, nachdenklichen Menschen in meiner Ahnenreihe vorstellte." Doch dann fand sie heraus: „Grübel oder Griebel hieß im Mittelalter der Totengräber." Womit natürlich nichts Negatives – sorry, Kanzler, schon wieder dieses Wort! – über die Klugheit und Nachdenklichkeit von Totengräbern gesagt sein soll.

Was von all diesen Lösungen stimmt? Wir wissen es nicht. Aber wir versprechen, uns demnächst mit erfreulicheren Dingen zu befassen.

Nachtrag: Kurz nach Erscheinen der Folge erreichte uns ein besonders einleuchtender Deutungsvorschlag gleich in dreifacher Ausfertigung von Rudolf Eschenfelder aus Kaiserslautern, Fritz Krebs aus Ludwigshafen und Ansgar Faust aus Neustadt. „Griwwel" ist demnach weder aus den Krümeln entstanden, in denen ein „Griwwelbisser" notorisch sucht, noch aus „Griffel" oder „Grübeln" oder gar dem Wort „Griebel" für Totengräber, sondern von „Krippe". Jähzornige, reizbare Pferde, so berichten die drei Leser, könne man immer wieder dabei beobachten, wie sie in die Futterkrippe beißen. Womit sich der bösartige, zornige, unzufriedene menschliche „Griwwelbisser" vom tierischen „Krippenbeißer" ableiten ließe.

Folge 18, erschienen am 29.11.2002

Garderoben-Tipps von Frühfrierern

Wenn die Tante im Sommer Strickjacke trägt:
Warnungen im Zeitalter des Bauchnabel-Piercings

Winteranfang bei plus zwölf Grad, da ist es nicht ganz unwahrscheinlich, dass übermütige Pfälzerinnen und Pfälzer für Silvester eine Grillparty im Freien planen. „Saach blooß", die Serie über Pfälzer Sprüche in allen Lebenslagen, rät allerdings zur Vorsicht: Schnell kann sich „die Freck" oder „die Kränk" holen, wer sich „so fligg agezo(che)" ins Freie aufmacht. Und für all jene Unachtsamen, die es bereits erwischt hat, wollen wir heute wenigstens die Frage klären, wo die Redensart ihren Ursprung hat.

Pfalzweit kein Zweifel besteht an ihrer Bedeutung, wie 40 Zuschriften aus allen Teilen der Pfalz und aus dem Saarland beweisen: „Zu leicht oder zu dünn angezogen sein", erklärt zum Beispiel Werner Bauer aus St. Julian den Spruch, wobei sich die Geister ein wenig am Grad seiner Gebräuchlichkeit scheiden. Während Manfred Bauer aus Ludwigshafen meint, das Wort „fligg" sei „fast völlig aus dem Mundart-Sprachgebrauch verschwunden", ist Herbert H. Leidner aus Kaiserslautern zufolge die Redensart in dieser Region „sehr verbreitet", was „heute im Zeitalter des Bauchnabel-Piercings" (so Andrea Hager-Wernet aus Neustadt) nicht allzu sehr verwundert.

„Vielleicht hot des Wort fligg ebbes mit flügge se dou (zu tun)", lautet die Mutmaßung von Betty Burk aus Neupotz zum Ursprung des Ausspruchs, die immerhin von über einem Dutzend weiteren Leserinnen und Lesern geteilt wird. Die Neupotzerin schreibt: „Wann Vechl flügge wärren, wann se also 's erschdemol ausfliechen, sin ehr Färrere noch nit sou dicht (sind ihre Federn noch nicht so dicht) wie die vun de Altvechel, sou dass se holt ewe ä bissel fligg fortfliechen." Ein Schelm, wer jetzt

daran denkt, dass die Vögelchen sich beim ersten Flug „mit kurzen Flügelstummeln" (so Maria Blättner, Steinweiler) und „dünnem Federkleid" (Gertrud Brendel, Haßloch) einen Zug holen könnten. Das kommt – behaupten wir ohne Rücksprache mit Ornithologen – in freier Wildbahn eher selten vor. Obwohl es natürlich auch in der Pfalz viele Zugvögel gibt. Kleiner „Saach blooß"-Scherz am Rande.

Eine ähnliche Befürchtung hegte indessen eine Tante von Ortrud Ritthaler aus Fußgönheim, „die auch im Sommer immer eine Strickjacke an und ein Kopftuch auf hatte", und die den Spruch „Du bischt so fligg agezoge" regelmäßig vor Kindern von sich gegeben habe. Nicht nur die sollten den Rat von Frühfrierern ernst nehmen, sagt Rudolf Walther aus Großkarlbach:

„Vor allem im zeitigen Frühjahr (Weihnachten 2002 fiel wohl unter diese Rubrik) oder an kühlen Spätsommerabenden besteht die Gefahr der Fehleinschätzung und man ist schnell einmal ‚zu fligg agezo‘, was nicht selten zur Folge hat, dass man für ein paar Tage flügellahm wird.“

Überhaupt fällt auf, dass die Tante in der Pfalz kein Einzelfall zu sein scheint. Wie sonst ließe sich erklären, dass es den Spruch noch mit mindestens zwei weiteren Wörtern gibt: „Du bischt so blodd agezoge“, nennen Johanna Keyl aus Frankenthal und Ruth Strauch aus Zweibrücken-Oberauerbach ein Beispiel, und Reinhold Jakob kennt aus seinem Geburtsort Wollmesheim die Variante: „Du beschd awwer litt agezoche“. Bezüge zu Vögeln sind der Redaktion in diesen Fällen allerdings nicht bekannt.

Im Übrigen gibt es auch vogelfreie Erklärungen für „fligg agezo“: „Vielleicht hat es mit dem Flicken auf dünn gewordenen Kleidungsstücken zu tun“, spekulieren „die Karin und die Elke vun de Haßlocher Sparkass“ und sind damit auf derselben Spur wie Falk R. Rittig aus Grünstadt und Albert H. Keil aus Dirmstein. Rittig verweist außerdem auf eine mögliche Verbindung von „fligg“ zum lateinischen Wort „floccus“, „der Wollkutte der Benediktinermönche, die für normale Sterbliche nicht ausreichend warm zu sein schien“.

Folge 19, erschienen am 27.12. 2002

„Bimbes"

Das Bimbes-Mysterium

Wie ein Parteispenden-Skandal ein angeblich
pfälzisches Wort bundesweit bekannt machte

Erinnern Sie sich? Vor einigen Jahren erschütterte der CDU-Spendenskandal die Republik, und ganz oben auf der Woge der Entrüstung segelte der angeblich pfälzische Begriff „Bimbes" ins nationale Bewusstsein. Auf dem Höhepunkt des Skandals hatte es aus unterschiedlichen Quellen geheißen, „Bimbes" für Geld oder auch „schäner Bimbes" für viel Geld gehöre zum Sprachgebrauch von Alt-Bundeskanzler Helmut Kohl, dem Pfälzer. Schnell hatten die überregionalen Medien das aufgegriffen: „Bimbes" wurde zum Schlagwort, „Die Macht des Bimbes" und ähnlich lauteten die Schlagzeilen. Es stand fortan für Schwarzgeld, besonders für jene 2,1 Millionen Mark an Parteispenden, die Kohl an den Rechenschaftsberichten der CDU und am Gesetz vorbei eingesetzt hatte. Hört man heute von „Bimbes", dann erscheinen vor dem inneren Auge noch immer Bilder von Geld in schwarzen Koffern oder Plastiktüten, Herkunft unbekannt.

Womit wir beim Thema sind. „Wir konnten das Wort ebenso wenig erklären wie die Herkunft der Spenden-Millionen", schreiben süffisant „die Karin un die Elke vun de Haßlocher Sparkass" – bekanntlich hat Helmut Kohl bis heute nicht verraten, wer die Spender jener 2,1 Millionen Mark waren. Eines Ehrenworts bedarf es indes nicht, damit wir Karl Heinz Ester aus Bad Dürkheim glauben, der sagt: „Das Wort ist in unserem Sprachbereich so gut wie nicht mehr üblich." Denn widersprechende Aussagen anderer Leserinnen und Leser gibt es nicht. Nur Herbert H. Leidner aus Kaiserslautern erinnert sich daran, dass es nach der Vorstandswahl in seinem Sportverein, bei der auch ein Kassenwart gewählt wurde, geheißen habe, der Verein habe nun „einen neuen Bimbes".

Es regt sich der Verdacht: Wurde wegen des Spendenskandals vielleicht ein nicht-pfälzischer Begriff einfach dadurch in aller Augen zum „Pfälzer Wort", weil er dem Über-Pfälzer Kohl zugeordnet wurde?

Ganz so einfach ist es nicht. Das „Pfälzische Wörterbuch" verzeichnet „Bimbes" oder „Bims" nämlich, zum Beispiel in doppelt gemoppelten Sätzen wie „Die Bauerschmäd sind beducht (Töchter von Bauern sind reich), die han Bims" oder in der lapidaren und stets aufs Neue aktuellen Feststellung: „De Bim(be)s is all."

Allerdings: Bei der Frage nach der Herkunft geht der (Pfälzer) Faden verloren. Die Autoren verweisen aufs Rotwelsche, jene

im späten Mittelalter entstandene Geheim- und Gruppenspra-
che (speziell von Nichtsesshaften), in der Begriffe aus verschiedenen Sprachen und Dialekten verbunden wurden. Das Rotwelsche wird im Übrigen auch – nicht gerade politisch korrekt – als
„Gaunersprache" bezeichnet. „Saach blooß" meint: Ein Schuft,
wer Arges dabei denkt ...

Michael Becker aus Kaiserslautern vermutet indessen, dass
„Bimbes" eine lautmalerische Komponente hat: „klingende Mün-
ze – bim-bim-bim". Rudi Wilhelm aus Bad Dürkheim hält das
Wort für eine Ableitung von „Bimsstein" und Erwin Hildebrandt
aus Leimersheim bietet quasi als Assoziation zu Wilhelms Vorschlag an, dass „Bimbes" von „Bims" etwas zu tun haben könnte mit „aus Dreck Geld machen". Wolfgang Meiler aus Neustadt
und Gretel Fauß aus Bad Dürkheim schließlich verweisen auf
einen (das ist kein Kanzler-Kohl-Witz) Birnen-Zusammenhang:
In Altendiez im Nassauer Land werde seit Generationen ein Brot-
aufstrich aus Birnensaft hergestellt, „auf Nassauer Platt kurz
Bimbes genannt".

Fest steht jedenfalls: Das Wort „Bimbes" wurde als direkte
Folge des Skandals so häufig benutzt, dass es – für regionale
Begriffe eher eine Seltenheit – noch im Jahr 2000 in den deutschen Rechtschreib-Duden aufgenommen wurde. Und das, so
hat uns die Duden-Redaktion erklärt, passiert nur dann, „wenn
gute Aussichten bestehen, dass es keine Eintagsfliege war".
„Saach blooß" jedenfalls wird den Weg des „Bimbes" weiter
verfolgen. Versprochen.

Folge 20, erschienen am 17.1.2003

„Fer en Klicker un en Knopp"

Wenn das Bare knapp wird
Die Pfälzer und das liebe Geld, Teil 2

Moneten, Kies, Mäuse, Flocken, Asche, Schotter, Moos, Marie, Pulver (besser: Bullwer), Knete, Penunze, Pinke-Pinke, Zaster, Bimbes – wenn wir von alledem so viel hätten wie es Wörter für Geld gibt, wir könnten uns das Lottospielen sparen. Allerdings: Mit typisch pfälzischen Begriffen für Geld sieht es ganz anders aus. „Bimbes" wurde zwar von einem Pfälzer Kanzler bekannt gemacht, ein typisches Wort der Region scheint es jedoch nicht zu sein. Und auch die vielen anderen Wörter für Geld sind weit über die Pfalz hinaus verbreitet.

Aus Pfälzer Sicht spannend wird die Geld-Frage offenkundig erst, wenn das Bare knapp wird. Beispiel: der Spruch „Der schafft fer a paar Trumbele", nach dem wir gefragt hatten. Edda Saar aus Frankenthal kennt ihn: „Trumbele" stehe für Kleinigkeiten oder auch Naturalien. Eine Leserin aus Hütschenhausen erinnert sich, dass Dienstmädchen von Bauern einst, als sie traditionell zum Martinstag die Stelle wechselten, „eine Schürze und ein paar Trumbele" mit auf den Weg bekamen. Und Fritz Wagner aus Kaiserslautern ergänzt: Der Spruch „wurde oder wird angewandt, wenn ein einfältiger, gutmütiger Mensch für wenig Geld schuftet wie ein Brunnenputzer".

Laut Falk R. Rittig aus Grünstadt bedeutete „drum" im Mittel- und Althochdeutschen „Endstück" oder „Splitter", und das Wort sei im Plural noch heute in „Trümmer" erhalten. Wer „fer ä paar Trumbele schafft", der tue das also für geringes Entgelt oder gar „für etwas Wertloses".

Und weil man von „Nichts" einfach nicht genug haben kann, gibt es in der Pfalz noch eine zweite Redensart mit nahezu derselben Bedeutung, auf die unter anderem Gisela Keller aus Zweibrücken, Alma Detje aus Ramsen und Reinhold Jakob aus

Roschbach verweisen: „Der schafft fer än Klicker un än Knopp."
Jakob: „Mit Klicker sind bemalte Tonkügelchen gemeint, mit denen wir Nachkriegskinder auf der Dorfstraße Klickerles (Murmeln) spielten. Wer, im übertragenen Sinn, für einen Klicker und einen Knopp (Hosenknopf) arbeitete, galt als billige Arbeitskraft und wurde als großer Simpel angesehen." Kurt Scherff aus Obrigheim-Mühlheim vermutet – ein Unterschied um eine Nuance – „dass man für den Verdienst gerade mal einen Klicker oder einen Knopp kaufen kann". Ebenfalls weit verbreitet ist übrigens der Spruch „Dehääm hän alle Buuwe Klicker", mit dem ein Pfälzer seine Zweifel an einer Aussage seines Gesprächspartners anmeldet. Dahinter steckt: Etwas, das zu Hause geblieben ist (oder im Verborgenen ruht), kann am Ort des Gesprächs nicht als Beweis angeführt werden.

Doch zurück zum großen Geld: Auf der Suche nach in der Pfalz gebräuchlichen Ausdrücken bringt Elsbeth Korz aus Neustadt immerhin „Zasseres" als Variante vom „Zaster" ins Spiel, was von Robert Jung aus Landstuhl bestätigt wird: Ihm sei der Ausdruck erstmals um 1950 auf dem Bau begegnet: „So konnte es passieren, dass einer morgens in die Bude kam und sagte: Heit isch Freidach, do gebt's de Zasseres!"

Dass Worte manchmal nicht alles sagen, beweist indes die Zuschrift von Hubert V. Eisenhauer. Er listete per E-Mail zahlreiche Wörter für Geld auf und fügte ein ganz kurzes hinzu: „Do! (dabei Daumen und Zeigefinger aneinander reiben)".

Folge 21, erschienen am 31.1. 2003

Stricken gegen den Untergang

Wie sich ein uraltes Wort in die Gegenwart rettete

„Schon seit Wochen", so schreibt Eveline Knöller aus Neupotz, „nehme ich mir täglich vor, auch mal meinen Senf dazuzugeben" – zu „ Saach blooß" und der Suche nach den letzten Geheimnissen der pfälzischen Sprache. Jetzt endlich, auf die Frage nach dem geheimnisvollen und erstaunlichen Wort „letz", das mancherorts eher „lätz" ausgesprochen wird, hat sie sich überwunden. Aus Begeisterung: „Letz esch doch wirklich ä ziemlich gutes Wort, odder? Eigentlich nit zu glääwe, dass mer des im Houchdeitsche nit benutze kann."

In der Tat: Redensarten wie „Aweil besch/bisch letz", „Mach mich net letz" oder „Du letzer Hund" zeichnen sich dadurch aus, dass sie in der Hochsprache nicht vorkommen. Dabei ist die Bedeutung klar: Wer „letz" ist, „täuscht sich, liegt falsch oder daneben", sagt Margarete Kochner aus Waldsee, oder „wäß nimmi, was owwe un was unne e(s)ch", so Martha Mathes aus Annweiler-Gräfenhausen. Wer „letz gemacht" wird, ist Elsbeth Korz aus Neustadt zufolge „durcheinander" oder „heckewelsch". Und Hildegund Scheffel aus Trippstadt analysiert: „Das Letz-Sein bezieht sich auf die Kopfregion."

Aber: Lange nicht alles, was letz läuft, findet im Kopf statt. „Letz ist mir bereits im Schulmädchenalter beim Strickenlernen begegnet", berichtet Rosemarie Mathes aus Germersheim. „Meine Großmutter, die mir diese Handarbeit beibrachte, sagte immer: Ä rechte, ä letze", womit rechte und linke Maschen gemeint waren. Und Hannaliese Osterholz aus Maikammer kennt den Begriff aus ihrer badischen Heimat: „Wenn Hausfrauen ihre Bettwäsche auf letz ziehen („Saach blooß" meint: Männer dürfen auch anpacken), drehen sie das Innere nach außen." Einen dritten Beleg für „letz" gleich „links" liefert Ilse

Benzing aus Speyer: „Läuft irgendein Getriebe verkehrt (links) herum, dann sagt man: Des laaft letzrum."

Zurück zu Eveline Knöller aus Neupotz: Ihrer Ansicht nach „war das Wort schon im Mittelalter in Gebrauch, wurde aber rein fahrlässig nicht ins Neudeutsche übersetzt". Ein erneuter Volltreffer, wie Edith Merckel aus Bad Dürkheim belegt: „Lezzi" bedeutete demnach im Althochdeutschen (etwa in den Jahren 750 bis 1050) „verkehrt, böse, widerspenstig", und „letz" oder „lez" stand im Mittelhochdeutschen (etwa 1050 bis 1350) für „verkehrt, schlecht, unrecht". Warum das Wort in der heutigen Hochsprache verschwunden ist, erklärt Ernst Schworm: „Letz" sei nur in den oberdeutschen Sprachen (also im Süden Deutschlands), nicht aber in den niederdeutschen (im Norden)

verwendet worden. Da sich aus Letzteren aber das Hochdeutsche entwickelte, wurde „letz" zum rein süd- und südwestdeutschen Dialektwort. Und überlebte wohl vor allem deshalb, weil es im Alltag verankert war – zum Beispiel beim Stricken und Bettenmachen.

Wilma Freundlich aus Böhl-Iggelheim berichtet aber auch von weniger Alltäglichem: So habe der Pfälzer Dichter August Becker von einem Gespenst erzählt, das zwischen Queich und Lauter sein Unwesen treibt und „Letzelbetzl" heißt (weil es die Kappe falsch herum auf dem Kopf trägt). Laut Elisabeth Meyer aus Hagenbach gibt es auch einen leibhaftigen „Letzebelz": „Do guck doch mol naa, der hodd jo sein Pullover letzrum aa." Und: „Wer immer nichts kapiert oder verstehen will", schreibt Gisela Keller aus Zweibrücken, „ist ein „Letzohriger" – oder er ist ein Schlitz- und damit Letzohr, wie Matthias Schäfer aus Pirmasens meint.

Folge 22, erschienen am 13. 2. 2003

„Der, die, das"

Das Geschlechter-Geheimnis

Selbst Pfälzer, die sich in Jahren harten Trainings die hochdeutsche Sprache angeeignet haben, rutschen immer wieder mal aus auf dem glatten Parkett fernab des Dialekts. Zum Beispiel auf nachgewiesenermaßen schmierigen Milchprodukten: „Wären Sie wohl so freundlich, mir den Butter zu reichen" ist nur ein Beispiel von vielen. Je höher man in der guten Gesellschaft klettert, desto peinlicher wird's: „Ach, Herr von Motz, das ist aber mal eine schöne Bach, die da durch Ihren Schlosspark fließt." Noch witziger wird's, wenn man die Nebenbedeutung im Hinterkopf hat, die sich in Kindersätzen niederschlägt wie „Ich muss emol ä Bächel".

Der Butter, die Bach – als wundersame Geschlechtsumwandlung lässt sich das Phänomen wohl am besten beschreiben. Ernst Schworm kennt weitere Beispiele: „Ich bekam schon leichte Schwierigkeiten, wenn ich in der Grundschule wie zu Hause der Butter und der Tinte sagte." Später stellte er fest, „dass die Leute in manchen Ecken weiter im Westen der Pfalz auch der Dach und das Platz sagten". Das Saarland und „es Hilde" lassen grüßen.

Wir stellen fest: Die Artikel „der", „die" und „das" machen in der Pfalz, was sie wollen. „Wo hoschden den Schoklaad her – griech ich ä Schtick?" heißt es zum Beispiel unter Leckermäulern. Auch vor der chinesischen Küche machen die vagabundierenden Geschlechtswörter nicht Halt: „Die Reis ist weich", sagt zum Beispiel eine Kollegin. Ein besonders ruhmreiches Beispiel – nicht erst seit dem sensationellen Sieg gegen den Champions-League-Teilnehmer Werder Bremen im September 2006 – ist der FK Pirmasens. Der Fußballverein wird nämlich tatsächlich „Die Klub" genannt – was jetzt sogar die Hanseaten wissen.

Warum das alles so ist, weiß jedoch niemand. Selbst Kurt Scherff aus Obrigheim-Mühlheim, sonst immer für sachdienliche Hinweise auf seltsame Sprachphänomene gut, hat diesmal keine Erklärung: Es gehöre einfach zur „Pfälzer Lebensart", meint er.

Zur Vorbereitung unserer endgültigen Kapitulation bei der Suche nach einer Antwort sei noch einmal Ernst Schworm zitiert: „Unser heimisches Gewässer Glan kommt männlich wie der Vater Rhein daher. Aber oberhalb von Altenglan heißt es wiederum die Glan, weil dort der Glan als ein Bach und nicht als ein Flüsschen angesehen wird." Versteht das jemand? Nein. Und Schworm selbst räumt ein: „Dieses Rätsel werde ich nie lösen." Also gibt auch „Saach blooß" sich diesmal ausnahmsweise geschlagen ...

Nachtrag: Es war fast zu verrückt, um wahr zu sein. Aber es ist damals tatsächlich passiert: Exakt in der Folge, in der „Saach blooß" sich mit dem erstaunlichen Phänomen des pfälzischen Geschlechtswechsels befasst – und die Karikatur einen Duden zeigt, der was auf den Hinterkopf kriegt – war uns ein folgenschwerer Fehler unterlaufen. Denn anders als in der oben nachzulesenden korrigierten Version hatten wir in dem tatsächlich in der Zeitung erschienenen Text geschrieben: „Je höher man in der guten Gesellschaft klettert, desto peinlicher wird's: ‚Ach, Herr von Motz, das ist aber mal ein schöner Bach, der da durch Ihren Schlosspark fließt.'" – „Saach blooß" hatte versehentlich „der Bach" zur falschen und „die Bach" zur korrekten Version erhoben. Die Resonanz der Leserinnen und Leser (gleich am nächsten Tag in der Zeitung zusammengefasst unter der Überschrift „Unn wann's die Bach nunner geht") blieb nicht aus. Wir zitieren:

„Ich versteh die Welt nimmi", schreibt Petra Behrens aus Hochspeyer. Peter Guhl fragt erstaunt: „Gibt es ein geheimes Zusatzprotokoll zur Rechtschreibreform?" Der katholische Pfarrverband Lambrecht legt früh am Morgen eine Seite des Rechtschreib-Dudens aufs Fax. Und Fritz Baßler stellt trocken fest: „Ehr verzehlen de Leit dumm Zeich."

Herr Baßler hat Recht. Deshalb wurde gestern allerorten in der Pfalz der Duden gewälzt, nachdem sich „Saach blooß", die Serie über Pfälzer Sprach-Besonderheiten, dem Phänomen der falschen Verwendung der Artikel „der", „die" und „das" gewidmet hatte. – Nachgeschlagen wurde stets bei „B" wie „Bach".

Denn „Saach blooß" hatte die eigene Eingangsthese bestätigt: „Selbst Pfälzer, die sich in Jahren harten Trainings die hochdeutsche Sprache angeeignet haben, rutschen immer wieder mal aus auf dem glatten Parkett fernab des Dialekts." Im Text hieß es doch glatt, „der Bach" sei falsch, „die Bach" korrekt. Dutzende Leser – das freut uns sehr – haben uns sofort auf den Fauxpas aufmerksam gemacht, per Fax, E-Mail oder am Telefon.

„Herr von Motz" werde wohl keinen Fehler bemerkt haben, kontert Herbert Jünginger aus Kaiserslautern, „fließt da doch

wirklich ein schöner hochdeutscher und keine pfälzische Bach".
Bert Jordan aus Landstuhl, der zu Recht annimmt, dass es sich
beim Autor um einen Pfälzer handelt, nimmt's mit Humor: „Sagen Sie ruhig weiterhin die Bach (auch wenn's „die Bach nunner" geht). Es klingt schöner als das maskuline ,Der'. Auch ich
bin ein Feminist!"

Schon etwas ernster fordert Angela Milla eine Korrektur:
„Schließlich könnte man es ja nicht verantworten, dass all Ihre
Leser in Zukunft anstatt der Bach die Bach sagen". Und Claus
Werle aus Kaiserslautern mahnt: „Nicht versuchen, sich mit dem
Druckfehlerteufel herauszuwinden!" Das würden wir nie tun.

Also: Liebe Leserinnen, liebe Leser, zweifeln Sie nicht an sich
(„Ich hoffe, meine Pfälzisch-Kenntnisse sind nicht derart bescheiden", schreibt zum Beispiel die Wahlpfälzerin Michaela
Vogt aus Deidesheim), sondern seien Sie beruhigt: „Saach
blooß" höchstselbst hat die „Bach"-Geschichte „verdummbeidelt", niemand sonst. Auch nicht die Setzer, wie Adolf Schupfer aus Pirmasens gestern zunächst wohlwollend vermutet hatte (Setzer gibt es leider nicht mehr). Aber: Wir halten uns an
die vielen aufmunternden „Nix-fer-ugut"-Zuschriften und an die
tröstenden Worte einer hochdeutsch sprechenden Kollegin:
„Das kommt davon, wenn man Pfälzer ist!"

Folge 23, erschienen am 7. und 8.3. 2003

„Äbsch"

„Im Norden, hinter dem Walde"
Ein Pfälzer Vielzweckwort mit einer dunklen Seite

„Äbsch ist vieles in unserer verdrehten Welt", schreibt Kurt Scherff aus Obrigheim-Mühlheim auf unsere Frage nach Bedeutung, Vorkommen und Herkunft dieses pfälzischen Worts. Am einfachsten lässt sich diesmal der Ursprung erklären: Klaus Juner aus Herschberg, Inge Schornick aus Ludwigshafen-Oggersheim und Edith Merckel aus Bad Dürkheim haben im Lexikon nachgeschlagen und entdeckt, dass „äbsch" auf das mittelhochdeutsche „ebech, ebch oder ebich" zurückgeht, das „umgewendet, verkehrt, links oder böse" bedeutete.

Außer im Sinne von „böse" ist es noch weit verbreitet: Die bald 90-jährige Elisabeth Hepp aus Kirchheimbolanden kennt „äbsch" für verkehrt herum getragene Kleidungsstücke – wie beim Wort „letz". Beispiel von Gisela Rempel aus Hettenleidelheim: „Die hot ehrn Hut awwer äbsch uff." Oder eines von Kirsten Wirges aus Göllheim: „de Rock äbsch aziehe". Das Wort taugt allerdings auch für Ensembles: „Die/der isch awwer äbsch ogezo", steuerte Doris Schmid per E-Mail bei und beschreibt: „geblümte Bluse, karierter Rock, gepunktete Jacke".

„Äbsch" lässt sich auch für das verwenden, was in den Klamotten steckt: „Der hot äbsche Fieß (also: zwei linke)" ist unter anderem Ingrid und Helge Rüdiger Fahrtmann aus Rodalben bekannt. Johanna Keyl aus Frankenthal ergänzt: „Mach kä so ä äbschi Schnuut!" Deutsch: Zieh nicht so ein Gesicht! Ab und zu gilt „äbsch" gar für vollständige Personen: „De Schorsch isch en äbscher Hund", formuliert Roland De Hooge aus Annweiler. Er ist der einzige Südpfälzer unter gut zwei Dutzend Leserinnen und Lesern, die diesmal geschrieben haben, was einiges über die Verbreitung aussagen dürfte, ebenso wie die Bemerkung des Exil-Pfälzers Klaus Bangert aus Bad Oldesloe: „Des is jo e

„Du hoscht die Kapp äbsch uff!"

uralt Wort un kummt schunn lang in Oggerschum, wu isch her-
kumm, nimmi vor." Dazu passt die Einschätzung von Heinz J.
Gundlach aus Dannstadt, „äbsch" werde „primär" in der Nordpfalz verwendet.

Immer noch modern ist es jedenfalls im Kreis Kusel, sagt die
84-jährige Emma Scheler aus Steinbach am Glan: „Wo keine
Sonne und kein Mond hin scheint – dort ist es äbsch". Sie und
Ilse Lang aus Brücken eröffnen ein weiteres weites Bedeutungs-
feld: „äbsch" als Bezeichnung für das Dunkle, Trübe, Freudlo-
se. Ilse Langs zwei Söhne haben das in die Jugendsprache übernommen: „Ein äbscher Abend, ein äbsches Konzert" war „lang-

weilig, öde, fade". Apropos fade: „Des schmeckt awwer äbsch" – an diesen Ausruf seiner Mutter, wenn sie das Essen abschmeckte, erinnert sich Werner Fuchs aus Hirschhorn. Mit „äbsch" lassen sich auch Warnungen konstruieren: „Do gehschde awwer äbsch", könne man jemandem entgegenhalten, der „voll daneben liegt", liefert Cäcilia Hartmann aus Pirmasens ein weiteres Beispiel für den erstaunlichen Mehrwert des Vielzweckworts.

Das vielleicht schönste „äbsch" gibt es indes in Dunzweiler im Kreis Kusel. Klaus Hollinger berichtet, dort heiße ein Gemarkungsteil zwar Hübschweiler, dieser liege jedoch „auf der Nordseite eines Berges, hinter dem Walde". Genannt wird er: „die Äbschseit". Claudia Rothhaar führt den Gedanken noch weiter – und über die Pfalz hinaus: „Die Rheingauer bezeichnen die Mittelrheiner Talseite als ‚die ebsch Seit', wohnen selber aber auf der ‚schää Seit'. Am Mittelrhein funktioniert die Bezeichnung der Talseiten dann genau anders rum."

Folge 24, erschienen am 11.4.2003

„Steich mer in die Dasch!"

In Sack und Tasche

Aufforderungen zur Akrobatik

Wussten Sie schon? Wer regelmäßig bei „Saach blooß" mitmacht, also Erklärungen und Mutmaßungen zu pfälzischen Redewendungen einschickt, darf (ab und zu) auch mal motzen. Aber natürlich nur dann, wenn's uns in den Kram passt.

Die treuen „Saach blooß"-Begleiterinnen „die Karin un die Elke vun de Haßlocher Sparkass" zum Beispiel haben sich einige Mühe gegeben, ein Anwendungsbeispiel für den Spruch „Stei(ch) mer doch in die Dasch" zu liefern und zugleich die Redaktion auf die Schippe zu nehmen: Der Gebrauch der Redensart sei angesagt, „wenn man sich bemüht zu helfen, das dann aber nicht akzeptiert wird". Ihre Erklärung: „Hatten wir doch einen Beitrag zum Begriff äbsch (siehe Seite 78) geschickt, schauten uns die Augen wund nach unseren Namen bei der Veröffentlichung und waren nicht dabei!" In dieser Situation, so heißt es weiter, könne man sagen: „Wissen ehr was, steichen uns doch grad in die Dasch!" Das ist natürlich nur vordergründig eine Aufforderung zur Akrobatik. Es bedeutet: „Mach doch deinen Kram alleine und lass mer moi Ruh!" (An dieser Stelle sei erklärt, dass uns erfreulicherweise so viele Zuschriften erreichen, dass es einfach nicht möglich ist, alle zu veröffentlichen, auch wenn wir uns bemühen, so viele Leser wie möglich zu Wort kommen zu lassen.)

Gleichviel: Es dürfte kein Zufall sein, dass gerade die streitlustigen Pfälzer und (liebe Karin und Elke) Pfälzerinnen noch viele andere Varianten dieses Spruchs kennen, an die Johanna Keyl aus Studernheim erinnert: „Rutsch mer doch de Buckel nunner" oder „Du kannscht mich grad mol hinnerum hewe!" Außerdem gibt es noch, ausführlich dargelegt ab Seite 39, die Version „Pänn mer die Gäns!" (Pfände mir die Gänse!). Das alles belegt: Pfälzerinnen und Pfälzer sind Meister darin, sich eben nicht aus der Ruhe bringen zu lassen.

Während das Selbstbewusstsein also bewundernswert stark ausgeprägt ist, fehlt es jedoch an anderer Stelle. Denn zwingende Erklärungen, wie die „Stei-mer"- und „Rutsch-mer"-Sprüche entstanden sind, gibt es nicht. Im „Pfälzischen Wörterbuch" findet sich zwar ein einsamer Hinweis auf „Stei mer in die Dasch!", doch bestenfalls die Redensart „In de Sack stei(g)e misse" für „Geld ausgeben müssen" bietet einen schwachen Anhaltspunkt auf eine mögliche Entstehungsgeschichte: Da „Sack" auf Pfälzisch auch „Tasche" bedeuten kann (Beispiel: „Sackduch"), könnte sich demnach jemand, der „Stei mer in die Dasch" (in de Sack) sagt, als Ergänzung denken: „Du werscht schun seh(n)e: S'esch nix drin."

Folge 25, erschienen am 2.5.2003

„Der hodd ganz schä de Ruß"

Goethe und der schwarze Staub

Was Mensch, Schwein und Hopfen gemeinsam haben (können)

Haaaaaatschi! Schnief! Hust! Grunz! – Nein, liebe Leserinnen und Leser, „Saach blooß" ist nicht abgedriftet in die Comic-Sprache. Die Nieser, Schniefer und Huster geben nur in schlichter lautmalerischer Eleganz die Pfälzer Gegenwart wieder. Schneuz! Und sind zugleich eine Hommage an die „Kalte Sophie" und ihre männlichen Kollegen in der Eisheiligen-Zunft. Denn die haben im Wonnemonat Mai einen guten Job gemacht. Hust, hust!

Doch die Pfalz wäre nicht die Pfalz (und „Saach blooß" nicht die Serie für Pfälzer Sprüche in allen Lebenslagen), wenn ihre Bewohner nicht auch unerfreulichen Erfahrungen mit sprachlichen Besonderheiten huldigten. Denn hierzulande ist man nicht erkältet: Man hat „de Ruß".

„Ahstännig de Schnubbe odder de Huschde hawwe, dass de Hals un die Bronschie mol widder rischdisch durchgerußt wern", erklärt Johanna Keyl aus Studernheim – offenkundig ein Anklang an das frisierte Mofa, das ebenso schnell wie umweltschädigend durchs Dorf „rußt". Womit auch die naheliegende Assoziation zum hochdeutschen Wort für feinen, schwarzen Staub (vorzugsweise aus Kaminen und Auspuffrohren) geweckt wäre. Und diese wiederum spiegelt sich im Motto jenes Rauchers wider, der verkündete: „Der Weg zur Lunge muss geteert sein!"

Ute Hanewald aus Ludwigshafen hat noch eine andere, nicht minder ungesunde Idee. Ihre Großmutter, die „Bawett", habe ihr erzählt, dass auch Schweine an „Ruß" erkranken können: „Junge Ferkel haben normalerweise einen weißen Rücken mit hellen, glänzenden Borsten. Viele bekamen früher jedoch eine Krankheit, bei der ihr Rücken mit einer schwarzen Schuppen-

schicht bedeckt war." Versuche, den Rücken der Ferkel sauber-
zubürsten, schlugen fehl: „Die Schweine blieben Kümmerlin-
ge." Der Haken an der Erklärung: Ihr Glauben zu schenken, hieße von Schweinen auf Menschen schließen. Wer will das den
Tieren antun?

Aus dem Dilemma befreit uns kein geringerer als Johann Wolfgang von Goethe, der es bekanntlich nicht lassen konnte (ähnlich wie „Saach blooß"), zu allen Themen des Lebens seinen Senf dazuzugeben. Der Dichter, offenbar dem Genuss von Bier nicht abgeneigt, kaufte im Frühjahr 1798 eine Hopfenpflanzung. Er ließ sich über den Anbau unterrichten und verfasste später einen Aufsatz: „Von dem Hopfen und dessen Krankheit, Ruß genannt". Diese wird, so hatte Goethe bei einem Experten in Bonn erfahren, durch den Befall der Pflanze mit dem Rußtaupilz fumago salicina hervorgerufen. Ergo (diesmal nicht von Goethe, sondern bloß von „Saach blooß"): „Am Ruße kranken Mensch, Schwein, Hopfen, drauf lasst uns heben einen Tropfen!" – Bierselig schließt sich nämlich der Kreis. Kurt Scherff aus Obrigheim-Mühleim und Johanna Keyl aus Frankenthal erinnern daran, dass sich ein Pfälzer durchaus ganz ohne Bazillen „de Ruß" holen kann: „Wenn er den Kanal voll hat". Egal übrigens ob von Bier oder Wein ...

Folge 26, erschienen am 15.5.2003

„Mein liewer Herr Gesangverein!"

Singende Sünder und sinnlose Schnörkel

Ein Ausruf des Erstaunens setzt die gesamte deutsche Sprachwissenschaft schachmatt

„Mein liewer Herr Gesangverein!" – Nie seit den Anfängen von „Saach blooß" hat sich ein Spruch – noch dazu einer, der im gesamten deutschen Sprachraum verbreitet ist – so hartnäckig gegen die Preisgabe seines Ursprungs gewehrt wie der von den singenden Männern aus dem örtlichen Laienchor. Als „salopper Ausdruck der Bewunderung und des Erstaunens" findet er sich im Duden, doch wie er entstanden ist, davon verraten die Sprach-Gurus nichts.

„Die Karin un die Elke vun de Haßlocher Sparkass" haben sich folgendes Szenario ausgemalt: „Früher gab es ausschließlich Männergesangvereine. Wenn der Chor ganz besonders falsch sang und zu kippen drohte, unterbrach der Dirigent mit den Worten: Mein liewer Herr Gesangverein! und hatte somit alle (Sangessünder) in einem Atemzug genannt." Kurt Scherff aus Obrigheim-Mühlheim schlägt als Erklärung vor, dass den Spruch ein Mensch erfunden haben könnte, der dem (natürlich hoch angesehenen) Dirigenten eines Gesangvereins einen Brief schreiben wollte. Da der Absender aber die ordnungsgemäße Anrede, den Titel, nicht kannte, griff er zu der originellen Wort-Kombination. Jedoch: Historisch belegen lassen sich beide Theorien nicht. Ebenso wenig wie es Anhaltspunkte für eine weibliche – wenn auch nicht feministische – Version des Spruchs gibt, die etwa „Mei liewie Fra Damegymnaschdikgrupp!" heißen könnte.

Selbst die Sänger sind ratlos. Gerd Nöther, Pressereferent des Pfälzer Sängerbunds, hat „keine Ahnung, wo der Spruch herkommt". Doch immerhin konnte er „Saach blooß" an die Bundesgeschäftsstelle des Deutschen Sängerbunds in Köln verweisen, wo stolze 1,8 Millionen Mitglieder und 20.000 Chö-

re repräsentiert werden. Dort erinnert sich Heidi Marmulla, dass es „vor ein paar Jahren" ziemlich großen Ärger mit dem ZDF gegeben hat. Die Mainzer hatten unter dem Titel „Mein lieber Herr Gesangverein!" einen Beitrag gesendet, in dem der Eindruck erweckt worden sei, „in den Vereinen werde mehr gesoffen als gesungen" – natürlich sehr zum Ärger der Sänger. Wo allerdings der von dem TV-Sender so kritisch in Szene gesetzte Ausruf seine Wurzel hat, weiß auch in Köln niemand.

Doch ein freundlicher Recherche-Tipp führte uns weiter ins fränkische Örtchen Feuchtwangen, wo Günter Ziesemer der Archivar im „Dokumentations- und Forschungszentrum des deutschen Chorwesens" ist. Der Experte hat zwar keine Sofort-Lösung für das prickelnde Prosa-Problem parat, ist sich aber sicher: „Älter als aus dem frühen 19. Jahrhundert kann der Ausspruch nicht sein." Denn erst zu dieser Zeit seien die ersten Gesangvereine entstanden – und zwar in Nord- und Süddeutschland auf höchst unterschiedliche Weise. Die „Liederkränze" im Süden gehen demnach auf den Schweizer Hans Georg Nägeli zurück, „und der hatte die Volksbildung (also die breite Masse) im Sinn". Die 1809 in Berlin gegründete „Liedertafel" des norddeutschen Chor-Urvaters Carl Friedrich Zelter dagegen sei äußerst elitär gewesen, sagt Ziesemer. Per Ballotage, in einer Abstimmung mit weißen und schwarzen Kugeln also, sei damals über die Aufnahme jedes neuen Mitglieds entschieden worden. – Könnten da Spötter diese elitäre neue Gruppierung „richtiger, nämlich singender Männer" auf die Schippe genommen haben, indem sie sich den abfällig gemeinten Spruch „Mein lieber Herr Gesangverein!" ausdachten? Eine Idee immerhin, die sich mit Ziesemers Vermutung deckt, der Ausruf sei nicht aus den Chören heraus sondern „von außen geprägt worden".

„Saach blooß" hat noch weiter geforscht (besser: forschen lassen): Winfried Breidbach von der Gesellschaft für Deutsche Sprache in Wiesbaden hat alle einschlägigen Werke gewälzt und nur in zweien etwas über den „lieben Herrn Gesangverein" gefunden. Schriftliche Belege für den Ausspruch gibt es demnach erst ab 1932. Und zum Ursprung des Spruchs hat die Sprachwissenschaft tatsächlich nur das zu bieten: In Heinz Küppers „Illustriertem Lexikon der deutschen Umgangssprache" von 1983 heißt es: „Zu der Anrede mein lieber Herr! bildet Gesangverein wohl nur einen sinnlosen Schnörkel." Das nun verschlägt sogar „Saach blooß" die Sprache.

Immerhin: Breidbach hat in einem regionalen Wörterbuch noch einen zweite Redensart entdeckt, in der der Gesangverein vorkommt: „Wir sind doch keen Jesangverein" heißt es nämlich in Berlin und Brandenburg, wenn eine Gruppe deutlich machen will, dass sie vermeintlich höhere Ziele hat. „Saach blooß" meint: Das müssen die Sänger nun wirklich nicht auf sich sitzen lassen.

Folge 27, erschienen am 30.5.2003

Räuber, Racker, Radikale

Harte Schale, weicher Kern:
Wenn die Sprache seltsame Wege geht

Kinder, Kinder! Glaubt man den älteren Herr- und Damenschaften, dann war früher alles anders. „Mir hänn noch richtich aagschtellt", klingt „Saach blooß" die sonore Stimme eines Südpfälzers in den Ohren, der sich an seine Lausbubenkindheit kurz nach dem Zweiten Weltkrieg erinnert. Jedoch: „Angestellt" wird auch heute noch allerorten, wenngleich der Begriff „Lausbu" seltsam altertümlich anmutet. Zeitgemäßer sind da zwei pfälzische Wörter, obwohl diese auch schon einige Jahrhunderte auf dem Buckel haben dürften. Die Rede ist von den – so formuliert es Rudolf Walther aus Großkarlbach – „wohlmeinenden Schimpfwörtern" Kafrus und Freckling beziehungsweise deren Abwandlungen, die in der Pfalz weit verbreitet sind.

„Rund um Pirmasens", so schreibt Ruth Strauch aus Zweibrücken, „wird das Wort Frecker noch gebraucht", und zwar für „vorwitzige, laute Kinder". Anwendungsbeispiel: „Mache eich jetzt emol ab, ehr Frecker" (Hochdeutsch: Verschwindet endlich!). In Haßloch, so berichtet Wolfgang Hubach, werde noch ein „t" angehängt, so dass dort von „Freckert" die Rede sei. Der Begriff stehe für „einen ungezogenen Jungen – seltener ein Mädchen". Und Edda Saar aus Frankenthal lieferte uns den Spruch: „'s Meiers ehrn u(n)seliche Freckling war schun widder an unsre Erdbeere". Dabei vergisst sie nicht, in Klammern den entscheidenden Hinweis hinzuzufügen: „Spaßhaft!"

Denn die Suche nach dem Ursprung des Begriffs beweist, auf welch seltsamen Wegen Sprache sich entwickelt und wie derb diese manchmal sein kann. Wolfgang Hubach sagt es klipp und klar: „Das Wort kommt von Verreckling" und damit von verrecken. Er ergänzt: „Früher wurden vor allem kranke oder von der Norm abweichende Tiere so genannt", Ferkel zum Beispiel, die schwer über den Winter zu bringen waren. Dass „Freckling" einen eher verständnisvollen Beiklang hat, erklärt sich vielleicht durch das Mitleid, das den armen Kreaturen entgegengebracht wurde.

Rudolf Walther hat festgestellt, dass die Wortwurzel „freck" auch an anderer Stelle Bestandteil der „Pfälzer Schimpfkultur" ist, in Sätzen wie „Du Bankert, du verreckter", oder „Dodriwwer kännt ich mich g'freckt ärjere". Hier gilt (zumindest in der Regel) ebenfalls das Motto: Radikale Schale, liebevoller Kern. Außerdem gibt es noch den in seiner Endgültigkeit ebenfalls nicht wörtlich zu nehmenden Spruch „Isch hann die Freck" für Hochdeutsch „Ich bin krank", wie ein kerngesunder Kollege anmerkte.

„Saach blooß"-Leser Walther hat eine Theorie, was „Frecker" und „Kafruse" unterscheidet: „Kafruse sinn Kafruse, a wann se nix agschtellt henn. En Freckel is en Kafrus, wu garnid gudduht un alleritt (andauernd) ebbes astellt." Zur Entstehung des Worts „Kafruse" berichtet Karl Scheib aus Ramsen von „berüchtigten Räuberbanden, sogenannten Chabrussen", die um 1700 ihr Unwesen getrieben hätten. Darin stecke das jiddische Wort „Chawer" für Kamerad, Verbündeter, das sich auch im Rotwelschen niedergeschlagen hat. Inge Lenhart aus Landau verweist auf das Chawwerusch-Theater im südpfälzischen Herxheim, das sich diesen Namen als Begriff für „Bande" und „Freunde" gegeben hat, wie auf der Internetseite der Truppe nachzulesen ist.

Auch die Bezeichnung „Kafruse" – und zwar mehr noch als Freckling & Co. – sei liebevoll gemeint, sagt Rosemarie Mathes aus Germersheim. Ihr Beispiel: „Was hänn ihr Kafruse do blooß widder gedenkt?" Wohl nicht viel. Denn das Denken steht – wer weiß das nicht? – selten im Mittelpunkt, wenn's ums „Anstellen" geht ...

Folge 28, erschienen am 20.6.2003

„War'n ihr des, ihr Freckling?"

„Du gehscht mer uff de Seiher!"

Der Pfälzer auf der Erbse

Der Reiz des Runden oder: Wie Ärger entsteht

Ärger beginnt im Kopf. Ob sich sämtliche Neuropsychologen mit dieser These anfreunden können oder ob manche glauben, Ärger entstehe im Bauch (wo er dann sprichwörtlich auf den Magen schlägt) – das sei einmal dahingestellt. Die (pfälzische) Sprache belegt nämlich zweifelsfrei: Der eigene Kopf ist der Ort des Geschehens, wenn unsere Mitmenschen uns „auf den Seiher" gehen. Oder auf „die Erbs", „de Wecker", „de Geischt", „die Makron", „die Nerve" oder „de Knorze", wie „Saach blooß"-Leserin Gisela Keller aus Zweibrücken darlegt.

Glauben könnte man angesichts einer solchen Fülle von Variationen, dass Pfälzer(innen) Prinz(essinn)en auf der Erbse seien. Die Vielzahl von Gelassenheit dokumentierenden Redensarten wie „Rutsch mer doch de Buckel nunner" oder „Stei(ch) mer in die Dasch" belegen eher das Gegenteil. Indes: „Wer dummes Zeug redet, und das pausenlos", der mache sich dadurch bei seinem Gegenüber unbeliebt, nennt Kurt Scherff aus Obrigheim-Mühlheim ein Beispiel, das auch ruhige Pfälzer schnell „auf die Palme" zu bringen scheint.

Dass auf diesem für Ärger sprichwörtlichen tropischen Baum Nüsse wachsen, aus deren Fleisch in kühleren Gefilden und zur Weihnachtszeit Kokosmakronen gebacken werden, ist eine amüsante, aber zugegeben weit hergeholte Erklärung für den Spruch „Des geht mer uff die Makron". Viel näher liegt da jene, die mit der Entstehung des Ärgers in der obersten Körperregion zu tun hat. Wenngleich die einschlägigen Wörterbücher an diesem Punkt mal wieder versagen, so liegt doch eine Gemeinsamkeit von „Erbs", „Makron", „Knorze" und Co. auf der Hand: All diese Objekte sind rund wie der menschliche Kopf und stehen deshalb wohl auch für denselben. Die aus dem Hochdeutschen

kommenden Abwandlungen „Des geht mer uff die Nerve" oder
„ ...uff de Geischt" untermauern die These, dass sich das Ganze zuallererst im Kopf abspielt. Oder, wie es in der „NLP" genannten hochmodernen Theorie des Neurolinguistischen Pro-
grammierens heißt: „Ärger entsteht, wenn die Erwartungen von
einer Situation nicht mit der tatsächlichen Situation überein-
stimmen". Wie wahr. Mögliche andere Lehrmeinungen – siehe
oben – lassen wir außen vor. Und zwar ganz aus dem Bauch
heraus ...

Nur: Was hat das alles mit dem „Seiher" zu tun? Kein Geheimnis ist, dass „Seiher" für Hochdeutsch „Sieb" steht, ein in der Regel tatsächlich rundes Küchengerät. Dieses findet im Pfälzischen übrigens mehrfach Verwendung, zum Beispiel in einem Ausspruch, der sogar Eingang in das „Pfälzische Wörterbuch" gefunden hat: „Ich sauf' wie en Seiher, unn wann ich uff'm Bauch hämritsche (nach Hause kriechen) muss." Der wesentliche Wesenszug des Seihers ist dabei nicht dessen Form, sondern dessen Durchlässigkeit, auch für Alkoholisches. Dass Betroffene anschließend ein Gedächtnis wie ein Sieb aufweisen können, liegt auf der Hand. Doch wir schweifen ab: „Seiher" steht nämlich auch für – und das ist entscheidend – den Brause*kopf* einer Gießkanne. Was zu beweisen war ...

Folge 29, erschienen am 3. 7. 2003

Kann denn Pfälzisch Sünde sein?

Auch die Sprache zwischen Rhein und Saar kann sinnlich sein

„Saach blooß", der Serie über pfälzische Sprüche und Redensarten für alle Lebenslagen, hat es kurzzeitig die Sprache verschlagen, als der Inhalt der Agenturmeldung sich endgültig seinen Platz im widerstrebenden Bewusstsein erstritten hatte: Der „Playboy", die allseits anerkannte Monatsschrift für Soziologie und Sprachforschung, habe in einer bundesweiten Emnid-Umfrage feststellen lassen, dass Pfälzisch nach Meinung von 1000 Befragten der mit Abstand unerotischste deutsche Dialekt sei. Es stand da zu lesen:

Pfälzisch macht nicht an

MÜNCHEN/MAINZ. Pfälzer sind offenbar alles andere als sexy – dies gilt zumindest dann, wenn sie den Mund aufmachen. Bei einer Umfrage des Männermagazins *Playboy* landete die südwestdeutsche Mundart abgeschlagen auf dem letzten Platz. Nur acht Prozent der Befragten gaben demnach an, Frühlingsgefühle zu bekommen, wenn sie diesen Dialekt hören. Damit landete das Pfälzische noch hinter Sächsisch und Friesisch. Als besonders sexy gilt der Umfrage zufolge das Bayrische. 29 Prozent der Deutschen halten die Mundart für erotisch. Auf den weiteren Plätzen folgen mit Abstand Berlinerisch (23 Prozent), Rheinländisch (22 Prozent) und Schwäbisch (18 Prozent). Nur jeweils 14 Prozent bekommen Frühlingsgefühle, wenn sie Hessen oder Franken sprechen hören. Auf Friesisch stehen 13 und auf Sächsisch nur zwölf Prozent.
Noch weniger Fans hat das Badische mit elf Prozent. Für die gestern in München veröffentlichte repräsentative Emnid-Umfrage wurden 1000 Deutsche befragt.
DIE RHEINPFALZ, 16. Juli 2003, Zeitgeschehen

„Host mi?"

Und „Saach blooß" war in der Zwickmühle. Denn es stellte sich die Frage: Juckt uns das, was in irgendeinem illustrierten Heftchen steht? Wir geben offen zu: Es juckt. Und wie. Wo wir Pfälzerinnen und Pfälzer uns doch so begeistern können für unsere Sprache, die so viele sympathische Eigen- und Sonderheiten hat. Eine Begeisterung, die sich nicht zuletzt alle 14 Tage an der Resonanz auf unsere Serie über Pfälzer Sprüche ablesen lässt. Wie konnte es da so weit kommen, fragt man sich, dass der ressentimentbeladene Rest der Republik sich emotional (und in der Folge wohl auch körperlich) nicht zu uns hingezogen fühlt, wenn wir den Mund aufmachen? Und zwar noch weniger als zu Friesen, Sachsen oder – geht das an? – Schwaben?? Wie kann es sein, dass ausgerechnet die krachledernen Bayern auf Platz eins der verbalerotischen Beliebtheitsskala platziert werden??? Angesichts solch windiger Wahrheiten werden, Sie merken es, sogar die Fragezeichen knapp.

Erste Volkskundler haben umgehend das Wort ergriffen und sich um Schadensbegrenzung bemüht. „Die Attraktivität eines Dialekts steht und fällt mit prominenten Sprechern", erklärte eine schwäbische Expertin. Wer jetzt alle bundesweit prominenten Pfälzer am Daumen der linken Hand abzählt, landet unweigerlich beim Über-Pfälzer und Ex-Kanzler Helmut Kohl, der eher nicht durch seine sinnliche Strahlkraft von sich reden machte. Doch so einfach ist es dann doch nicht: Die Volkskundlerin führt als Grund dafür, dass Schwäbisch wenigstens im Mittelfeld gelandet sei, das prominente „Cleverle" Lothar Späth an. Fällt Ihnen dazu noch etwas ein?

Nachtrag: „Saach blooß" gab, wie es sich für die Serie gehört, die Frage an die Leserinnen und Leser weiter, woraus die Folge „Die Erotik des Pfälzischen", Teil 2, entstand, erschienen unter dem Titel „Meer strunzen net, meer hun". Aber lesen Sie selbst:

Meinung 1: „Seine Sprache, sein Dialekt, war so ganz anders und fremd für mich, das gefiel mir sofort." Für Irene Andt, im Hunsrück geboren, war es die Sprache, die sie vor 35 Jahren bei der Weinlese an der Mosel an einem damals 16-jährigen Pfälzer faszinierte. „Diese Stimme, dieser herrlich melodische Klang", schwelgt sie und vergisst nicht zu erwähnen, dass sie „die Stimme" 1976 heiratete und mit ihr in die Pfalz zog.

Meinung 2: „Die Intonation gleicht einem Gebell, und die meisten Endungen, die eine Sprache weich machen, werden weggelassen", sagt die gebürtige Pfälzerin Marlies Moos aus Frankenthal, „trotz meiner Liebe zum Pfälzischen muss ich gestehen, dass ich meinen Dialekt objektiv gesehen als uncharmant, unschön und ordinär empfinde."

„Saach blooß" stellt fest: Schönheit liegt im Ohr des Betrachters. Und das liest sich doch schon ganz anders als das einseitige Ergebnis jener „Playboy"-Umfrage, wonach Pfälzisch der unerotischste Dialekt Deutschlands sei.

Erwartungsgemäß überwog auch bei den Zuschriften die Entrüstung. Michael Dietrich aus Lingenfeld legte mit Blick auf die Gewinner-Dialekte bei der Umfrage leicht boshaft dar, dass sich sinnliche Ausstrahlung aus den Komponenten „innere" und „äußere" Erotik zusammensetze, und dass nur Gruppierungen „mit einer sehr geringen inneren Erotik zum Überschreiten des Schwellenwerts darauf angewiesen sind, ihre verbale (also äußere) Erotik auszubauen". In einer von zahlreichen Zusendungen in Gedichtform zum Thema fasst Johannes Dexheimer aus Oberwiesen denselben Gedankengang so zusammen:

„Halt Leit! Um de Wohret Wille:
E Pälzer braucht ko Nohilfstunn,
er denkt sich nor emm Stille,
meer strunzen net, meer hun!"

Kaum bescheidener (warum auch, wollen wir an dieser Stelle anmerken) kommt das Gedicht daher, das Günter Seufert aus Ludwigshafen uns geschickt hat:

„Wer Pälzisch schbricht, is aa zu Recht,
beliebt beim annere Geschlecht.
Jedoch net blooß dehääm unn heit
sondern immer unn weltweit.
Nadierlich werd aa hierzuland
des net immer glei erkannt."

Apropos „erkannt": Wolfgang Diehl aus Landau hat in zwei knappen Zeilen sämtliche Thesen des „Playboy" zweifelsfrei widerlegt. Er fragt:

„Wann Pälzisch nit erotisch wär,
wu kämen dann do die Pälzer her?"

Ungeachtet dieser brillanten sachlichen Gegenargumente hagelte es auch Kritik an der Methodik der „Playboy"-Umfrage. Martina Gemmar aus Augsburg, „eine im bayerischen Schwaben lebende Pfälzerin, die in pfälzischer Mundart sozialisiert wurde", merkt kritisch an: Wer – wie die meisten Bundesbürger – noch nie persönlichen Kontakt zu Pfälzern gepflegt habe,

„weiß nicht im Geringsten, wie sich Pfälzisch eigentlich anhört".
Wie soll er da also ein gerechtes Urteil fällen? Und Thorsten
Nikolaus fordert: „Vergleichen Sie doch mal die relativen Antei-
le der Dialekte in der Bevölkerung mit den Ergebnissen der Umfrage." Soll heißen: Bayrisch liegt einfach deshalb vorne, weil
es so viele Bayern gibt.

Doch wer die Diskussion über das erotische Defizit des Pfälzischen zu schnell vom Tisch wischt, verkennt einen Teil des
Problems: Das Pfälzische habe keine Lobby und keine „Medien-
prägung", stellt zum Beispiel Axel Elfert aus Speyer fest. Er verweist auf die Gewichtung der Dialekte in TV-Beiträgen „von Tat-
ortkommissaren bis hin zu irgendwelchen Heimatschinken".
Nur: Warum das so ist, wird eine weitere Studie (vielleicht von
„Penthouse"?) klären müssen. Bis dahin halten wir's mit Kat-
rin Felshart, einer gebürtigen Bremerin: „Ich mag Land und Leute (in der Pfalz), die Erotik ist mir dabei egal ..."

Folge 30, erschienen am 17.7. und 31.7. 2003

„Uuschierich"

Zu groß, zu breit, zu lang

Wie die Tücke des Objekts den
pfälzischen Sprachschatz bereichert

Gehen wir einmal – ganz theoretisch – davon aus, dass Pfälzer
und Pfälzerinnen praktisch veranlagt sind. Und führen wir diese Annahme weiter, indem wir feststellen, dass ihnen die An-
forderungen des Alltags leicht von der Hand gehen. Und folgern
wir aus diesem Gedankengang in messerscharfer Konsequenz,
dass es den Menschen aus der Region zwischen Rhein und
Saar deshalb ganz besonders auf die Nerven geht, wenn etwas
einmal nicht „laaft wie 's Lottsche" (Siehe Seite 37). Dann haben wir eine hervorragende Erklärung dafür, warum in der Pfalz
das Wort „uuscheerich", „uuschieri(s)ch", „uuscheer" oder „uu-
schier" in aller Munde ist.

„Unser erster Schlafzimmer-Kleiderschrank wurde geliefert",
berichtet Karola Schied aus Neustadt, „und es war schwierig,
ihn in unserer kleinen Altbauwohnung aufzustellen. Zitat meiner Mutter: Wie konn mer blooß so ä uuscheeriches Möbelstick
kaafe!" Inge Schornick aus Ludwigshafen hält es für uuschie-
risch, „einen Flügel übers Treppengeländer in den dritten Stock
zu transportieren" oder „große Salatblätter vom Teller in den
Mund zu stopfen". „Schlecht zu handhaben, nicht leicht zu be-
dienen, klobig, unpraktisch", nennt Ruth Metz aus Hatzenbühl
als Synonyme für „uuschierich".

Obwohl die Bedeutung damit klar sein dürfte wie Pälzer Grum-
beersupp, bleiben Fragen offen. Zum einen: Wie ist das Wort
entstanden? Die „Saach blooß"-Leser liefern in diesem Fall
außergewöhnlich viele verschiedene Antworten: „Das Wort geht
auf das Scheren der Schafe zurück", meint Ernst Schworm aus
Niederalben. Gisela Keller aus Zweibrücken und Joachim Lehmler aus Oggersheim vermuten, dass die Wortwurzel „schier" et-

was mit rangieren zu tun habe, wodurch beide zur Übersetzung „schwer zu rangieren" gelangen. Hedwig Knieriemen aus Landau dagegen tippt auf das französische Wort „gérer" für „verwalten" als Ursprung, während Caroline Willrich aus dem westpfälzischen Niederkirchen vorschlägt, dass etwas Unscheeriches „nicht mit der Schere auf ein praktisches und leicht zu handhabendes Maß zugeschnitten" ist. Besonders überzeugend erscheint die Argumentation von Gerhard Fischer aus Schifferstadt, wonach die Entstehung des Begriffs sich auf die Situation zurückführen lasse, wenn „Pferde oder Ochsen nicht ordnungsgemäß im Geschirr" laufen. Er erinnert sich: „Für mich verbindet sich der Begriff in erster Linie mit dem Unmut meiner Großmutter, wenn sie die damals üblichen Deckbetten, die nicht nur groß und schwer, sondern auch ziemlich unhandlich waren, ausklopfen musste." Zu sperrig also für eine praktisch veranlagte Pfälzerin ...

Erstaunlicherweise haben wir mit der Vielfalt an Entstehungs-möglichkeiten – denen die Sprachwissenschaft im Übrigen keine zwingende eigene Erklärung entgegenzusetzen hat – dem Wörtchen noch immer nicht alle Geheimnisse entlockt. Denn während zum Beispiel Margarete Kochner aus Waldsee und Sabine Kuhn aus Leimersheim fest davon überzeugt sind, „uuschierich" könne sich niemals auf eine Person beziehen, lässt sich diese Behauptung klar widerlegen. Zwar weit weniger gebräuchlich als in der Bedeutung „unhandlich", hat das Wort dennoch ein zweites Standbein, wie uns das „Pfälzische Wörterbuch" lehrt, nämlich als „ungepflegt oder ungehobelt". Immerhin drei von zwei Dutzend Leserinnen und Lesern, die bei dieser Folge mitgemacht haben – Klaus Juner aus Herschberg („armselig"), Caroline Willrich („bockiges Kind") sowie Karin Schuler aus Alsenborn („schäbig") –, erfüllen diesen Lexikon-Eintrag mit sprachlichem Leben.

Folge 31, erschienen am 14. 8. 2003

„Dumm wie Holler"

Ins Mark getroffen

Wie ein armes Pflänzchen für
pfälzische Schmähungen herhalten muss

Kann es so einfach sein? Es kann. Ohne jede Rücksicht auf unsere großen Pläne. Denn während sich „Saach blooß" in buntesten Farben ausgemalt hatte, was es mit dem pfälzischen Spruch „Dumm wie Holler" Geheimnisvolles auf sich haben könnte, bremsten die befragten Leserinnen und Leser die Euphorie-Rakete, noch bevor diese die zweite Stufe zünden konnte: Sie schickten uns in erstaunlicher Vielzahl und seltener Eintracht die einzig wahre Erklärung: Holler steht für Holunder, und weil dessen Holz hohl ist und „hohl" gleichbedeutend mit „doof", war das vermeintliche Mysterium mit einem Satz gelöst. Kann es so einfach sein? Es kann.

Wir danken (diesmal mit gemischten Gefühlen) unter anderem Hubert Bohlender aus Römerberg, Horst Henn und Anni Becker aus Kaiserslautern, Rosemarie Mathes aus Germersheim, Joachim Lehmler aus Oggersheim, Kurt Scherff aus Obrigheim-Mühlheim und Wolfgang Niederhöfer aus Kleinkarlbach. Die botanisch weitreichendste Erklärung lieferte Jürgen Laubscher aus Neustadt: „Der Holunderbusch hat markhaltige Äste. Das heißt, die harten Außenwände haben einen weichen Kern, der beim Abschneiden oder Abbrechen eines Astes austrocknet: Die Äste werden dadurch innen hohl." Wir sind ins Mark getroffen. Keine weiteren Fragen.

Doch Pfälzisch wäre nicht Pfälzisch, wenn es in Sachen Schmähungen nicht noch ein paar Extras auf Lager hätte: „Dumm wie en (zehner) Weck" zum Beispiel, oder „Dumm wie (en Sack voll) Bohnestroh", wobei die Ergänzungen in Klammern stets eine leichte Steigerung gegenüber der kurzen Version darstellen. Auch hier lassen die Erklärungen an Eindeutig-

keit nichts zu wünschen übrig: Bei Stroh, Brötchen und Holunder handelt es sich stets um hohle oder besonders leichte Objekte mit zumindest kleineren Hohlräumen. Dass die Zeiten vorbei sind, in denen ein „Weck" einen Zehner gekostet hat, wollen wir an dieser Stelle nicht weiter ausführen. Es ist uns aber ein erneuter Hinweis, dass sich in der Mundart die gute alte Vergangenheit bewahrt und immer wieder offenbart.

Womit wir fast schon am Ende wären, hätte „Saach blooß" in diesen Tagen nicht eine höchst erbauliche Korrespondenz mit einem Experten ersten Ranges geführt: „Der Sinnspruch Dumm wie Holler kommt selbstverständlich von mir", schrieb uns ein Herr aus der Vorderpfalz, der insoweit anonym bleiben soll, als wir hier nur seinen Nachnamen – Holler – nennen wollen. Auf Nachfrage, wie er mit diesem so klarkomme, schreibt der Mann launig: „Der Spruch begleitet mich nun mein ganzes Leben, und bisweilen komme ich nicht umhin, ihn zutreffend zu finden." Er habe sich daher für „die Strategie der Vorwärtsverteidigung" entschieden (Der Beweis: seine Kontaktaufnahme mit „Saach blooß"). „Das Einzige, was wirklich stört, ist, dass alle, die originelle Geschenke machen wollen, mir Holunderlikör schenken. Eine üble Plörre, die auch nicht besser wird, wenn man viele Pullen davon rumstehen hat." Gut für alle Hollers, dass „Saach blooß" die Präsent-Problematik hiermit ans Licht bringt.

Und dann waren da noch Frank, Susanne und Tamara Katzenbach aus Otterberg, Straße „Am Holler", die unverhofft doch ein bisschen Abwechslung ins Erklärungs-Einerlei brachten: Sie erinnerten an das Lied der Spice-Girls (deutsch: „Gewürzmädchen" – eine britische Popgruppe), die ein Lied mit dem Titel „I wanna make you holler!" (deutsch: „Ich will dich verrückt machen!") singen. Die Katzenbachs meinen: „Das dürfte wohl die einfachste Erklärung für ‚Dumm wie Holler' sein." Sie sehen: Es gibt doch immer zwei Meinungen. „Saach blooß" meint: Es wäre doch dumm, wenn's anders wäre.

Folge 32, erschienen am 28.8.2003

„Ädärmlich"

Das Geheimnis der gebrechlichen Hühner

Schlecht gefrühstückt oder: Wenn Pfälzer schwach werden

Was haben Quantenphysik, Astronomie, Chaostheorie und die Erforschung der pfälzischen Sprache durch „Saach blooß" gemeinsam? Ganz einfach: Die Auseinandersetzung mit letzten Geheimnissen hat ihre ganz eigenen Gesetze. Manchmal lösen sich die Mysterien, deren Aufklärung sich „Saach blooß" verschrieben hat, ohne nennenswerten Widerstand in Wohlgefallen auf. Denken Sie nur an die vorherige Folge, in der viele, viele Leserinnen und Leser den Spruch „Dumm wie Holler" ohne jede Schwierigkeit enträtselten. Manchmal allerdings ist es notwendig, auf der Suche nach der Wahrheit in Galaxien vorzudringen, die nie ein Mensch zuvor gesehen hat.

Gefragt hatten wir ganz einfach nach Bedeutung und Ursprung des Pfälzer Wörtchens „ädärmlich" oder „edärmlich" (für Nichtpfälzer: die Betonung liegt auf der ersten Silbe). Zuschriften aus allen Teilen der Pfalz belegen: Das Wort ist noch überall bekannt. Doch es könnte vom Aussterben bedroht sein. Rudolf Walther aus Großkarlbach geht davon aus, „dass Pfälzer Kinder und Jugendliche mit äädärmlich (er schreibt es mit drei „ä") keine Vorstellung mehr verbinden können. Er selbst jedoch liefert lebhafte Beispiele für dessen Gebrauch: Wenn jemand sagt, er habe „bloß en äädärmliche Weck" gegessen, dann bedeute das: Das Frühstück war armselig. Und: „Unter einem äädärmliche Hund kann der Pfälzer sowohl einen schwächlich-armseligen Mann als auch einen solchen Vierbeiner verstehen." Ebenfalls mitten aus dem Leben ist dieser Satz von Edda Saar aus Frankenthal: „Moin liewer Mann, du hoscht vergangeni Woch meiner Fraa e paar äädärmliche Hinkelscher verkaaft. Ich glaab, die legen se Lebdaach ke Eier!" Auch in Rockenhausen wird das Wort verwendet, zum Beispiel für die Beschreibung eines

„So e ädärmliches Ding!?"

zu klein gewachsenen Baumes oder Strauches, schreibt Hermann Rösel.

Somit steht außer Frage: „Ädärmlich" bedeutet armselig, schwächlich, kraftlos. Oder gar erbärmlich, merkt Marlies Moos aus Frankenthal an. Wie Kurt Scherff aus Obrigheim-Mühlheim und Rudolf Walther ist ihr aufgefallen, dass die beiden Worte ziemlich ähnlich klingen und vielleicht deshalb etwas miteinander zu tun haben könnten. Allerdings: Angesichts der doch ziemlich unterschiedlichen Laute ist das ein Argument, das Sprachwissenschaftler nicht unbedingt überzeugen dürfte.

Auf die Suche nach der Wortwurzel haben sich Peter Ehrmantraut aus Zweibrücken und Klaus Juner aus Herschberg begeben. Beide verweisen auf das Wort „därmlich" (auch: „därme-lig" oder „dormelig"), das auf Hochdeutsch „schwindelig" be-deutet. Und tatsächlich belegt zum Beispiel das Wort „Schwind-sucht" die Verbindung zwischen schwächlich und schwindelig.

Doch klärt das noch lange nicht alle Fragen: Wie (und warum) ist die Vorsilbe „ä" vor dem „därmlich" entstanden und wie trägt sie zur Bedeutung des Wortes bei? Denn: Zufällig geschieht in der Entwicklung einer Sprache kaum je etwas. Mit Monika Mal-ter aus Gau-Bischofsheim und Rudolf Walther haben zwei Le-ser auch dafür eine Erklärung parat: Beide besinnen sich auf den offensichtlichsten Wortstamm und erklären, dass eine „ää-därmliche" Person so dünn und schmal sei, „dass in ihren Leib nur än äänziche Darm passt, nicht aber eine Fülle von Darm-schlingen". Womit „Saach blooß" auf seiner Reise durch die unendlichen Weiten des pfälzischen Sprach-Universums bei ei-ner der bislang erstaunlichsten Erklärungen angelangt wäre.

Es sei denn, man hält es mit Manfred Bauer aus Ludwigsha-fen, der „ädärmlich" auf den altdeutschen „Eidam", den ver-hassten Schwiegersohn, zurückführt, „den nichtsnutzigen, fau-len, miserablen, charakterlosen Mitgiftjäger", den „ädärmliche Lump". Es müsse ja einen Grund geben, meint Manfred Bau-er, warum Eidam „schon sehr lange aus dem Sprachgebrauch verschwunden ist und die guten Schwiegerkinder in der Pfalz Dochdermann und Sohnsfraa genannt werden."

Folge 33, erschienen am 11.9. 2003

Zwerge, die keine sind

Wie ein hochdeutsches Wort die Pfälzer Sprache bereichert

Jaaa, wir geben zu: Natürlich hat Albert H. Keil aus Dirmstein Recht, wenn er auf die Frage aus der jüngsten Folge schreibt: „Däss hot doch nix mit Pälzisch se duhe, wammer bei uns iwwerzwerch saacht, däss is ääfach die pälzisch Aussprooch vun überzwerch!" Von solchen Hindernissen lässt sich „Saach blooß" aber nicht abbringen, ein Wörtchen unter die Lupe zu nehmen, das in vielen Aussprüchen die pfälzische Sprache bereichert – sei es von seinem Ursprung her noch so hochdeutsch. Denn: Pfälzisch ist, was die Pfälzerinnen und Pfälzer dazu machen ...

„Krumm un schäbb un iwwerzwerch geht de Weg uff Nerrekerch" – allein schon diese amüsante Beschreibung der „relativ schmalen und buckeligen Landstraße zwischen Meckenheim und Niederkirchen", eingeschickt von Markus Hutter aus Hochdorf, beweist, wie hervorragend sich das Wort ins Pfälzische eingepasst hat. „Des is en ganz iwwerzwercher", nennt Norbert W. Schlösser aus Kaiserslautern ein weiteres Beispiel, gemeint sei damit ein „Querdenker", der alles anders machen will als die andern. Inge Schornick aus Ludwigshafen liefert die Variante: „Du stellscht dich awwer iwwerzwersch aa!" In diesem Ausruf stehe das Wort für „ungeschickt" oder „umständlich" – wie auch Robert Raffel aus Kaiserslautern weiß. Minnie Maria Rembe aus Winnweiler-Langmeil sieht dementsprechend einen „Iwwerzwerchen" als jemanden, „der sich aarisch aastrengt, um ebbes rischdisch zu mache".

Da stellt sich sofort die Frage: Steckt hinter diesen Redensarten – politisch absolut unkorrekt – eine Herabwürdigung von Kleinwüchsigen, weil sich im Wortstamm von „iwwerzwerch" der „Zwerg" versteckt? „Saach blooß" kann sofort Entwarnung

„Stell dich net so iwwerzwerch aa!"

geben: „Überzwerche sind keine großen Zwerge", meldet nicht nur Kurt Scherff aus Obrigheim-Mühlheim. Denn auf Hochdeutsch heißt das Wort nicht „überzwerg" – wie zum Beispiel der Name des bekannten Saarbrücker Kinder- und Jugendtheaters vermuten lässt –, sondern „überzwerch". Ein halbes Dutzend Leserinnen und Leser hat uns denn auch eine viel zwingendere Erklärung geliefert: „Meiner Meinung nach kommt zwerch von quer", sagt Otto Kesselring aus Matzenbach und erläutert: „Schon die Schildbürger waren zwerch, als sie den Balken quer durch das Stadttor tragen wollten." „Auch das Zwerchfell liegt quer im Körper", fügt er hinzu, ein Argument, das Rosemarie Mathes aus Germersheim und Joachim Lehmler aus Ludwigshafen mit ihren Einsendungen untermauern. Lehmler steigt sogar, um auch die letzten möglichen Zweifel auszuräumen, tief ins Fach Anatomie ein: Das Zwerchfell trenne nämlich, quer gespannt, im menschlichen Körper Brust- und Bauchhöhle, wo es von grundlegender Bedeutung für die richtige Atmung und damit für richtiges Sprechen und Singen sei.

> *„Krumm un schäbb un iwwerzwerch*
> *geht de Weg uff Nerrekerch."*

Nicht minder tief in die Sprachgeschichte führt uns die Frage nach dem Ursprung des Wortes: Im Mittelhochdeutschen nämlich, das im deutschen Sprachraum etwa zwischen 1050 und 1350 gesprochen wurde, hieß es statt quer noch „twer" oder „twerch", wie unter anderem Klaus Juner aus Herschberg anmerkt. Die Zusammensetzung mit „iwwer" dürfte laut „Pfälzischem Wörterbuch" übrigens aus Sätzen wie „Iwwer's zwerich Feld (quer über den Acker) gehen" entstanden sein.

Folge 34, erschienen am 25.9.2003

„Stränze"

Äpfel mit Gewissensbiss

Mundraub oder: die schöpferische Kraft
des Sich-rechtfertigen-Müssens

Schlechtes Gewissen macht kreativ. Das weiß jeder, der einmal einen Bock geschossen und eine hanebüchene Ausrede fabriziert hat: „Ich hab' norre schnell Weck hole wolle", sagt der Sünder, dessen Wagen eine Stunde lang fernab jeder Bäckerei im absoluten Halteverbot stand, zur Politesse. Sie kennen das sicher.

Die schöpferische Kraft des Sich-rechtfertigen-Müssens macht auch vor der Sprache als solche nicht halt, wie das pfälzische Wort „stränze" beweist. Denn nicht jede(r) ist wie Lydia Müller geneigt, dieses knallhart mit „klauen" gleichzusetzen. Die Grünstadterin nannte als Beispiel die Kinderreimzeile: „Gehscht mit iwwer die Brick? Ebbel stränze – sooo dick!" Ein Reim übrigens, der Wolfgang Meiler aus Neustadt, Eleonore Winkler aus Speyer, Klaus Groh aus Kusel und Albert Speyerer aus Kaiserslautern zufolge pfalzweit bekannt ist – ohne dass jemand seine Entstehung aufklären konnte. Allerdings wird übereinstimmend berichtet, dass man beim Vortrag an der Stelle „sooo dick" die Arme ganz weit ausbreiten muss.

Günter Kirsch aus Pirmasens jedenfalls würde „stränze" nie und nimmer mit „Raub oder Diebstahl" gleichsetzen: „Stibitzen kommt der Sache schon näher", sagt er und bringt die rechtfertigende Kreativität ins Spiel. Ebenso Harald-Günter Wagner aus Linden, der „organisieren" als sinnverwandtes Wort nennt, Beispiel: „Wir gehen uns ein paar Äpfel organisieren". Dahinter verberge sich eine Tat, „die eigentlich nicht ganz Ordnung", aber eben doch kein bösartiger Diebstahl sei. Doch Achtung! Während man sich durchaus auch nicht essbare Dinge „organisieren" kann, so geht es beim Stränzen stets um Vitaminreiches.

„Gehscht mit iwwer die Brick?
Ebbel stränze – sooo dick!"

Soll heißen: In der Pfalz wird Obst und Gemüse „gestränzt": „Äpfel, Birnen, Kirschen, Kastanien, Pfirsiche", zählt Günter Kirsch auf, und Rosemarie Mathes aus Germersheim ergänzt die Liste um ein weiteres in der Region verbreitetes Objekt der Begierde: die Trauben. Nicht zu vergessen „den Quetschekuche (hochdeutsch: Pflaumenkuchen), der bei der Tante auf der Fensterbank zum Auskühlen steht", schreibt Wolfgang Meiler.

Der Neustadter ist auch der Frage nachgegangen, wie der Mundraub gesellschaftspolitisch zu bewerten ist: „Allein schon die Versuche des Stränzens" hätten früher „viel Freude in ein tristes Buben- und Mädchenleben gebracht", weil diese das Räuber- und Gendarmspiel realitätsnah aufgewertet hätten – mit Obstbaumbesitzern und Feldhütern in der Rolle der Gendarmen. Er erzählt (wir nehmen an, aus Erfahrung): „Die wilde Räuberhorde konnte meist auf Grund der höheren Antrittsgeschwindigkeit entkommen." Wenn es aber doch einmal „zum Zugriff" gekommen sei, dann „gab es gleich auf den Hosenboden, oder die elterliche Justiz wurde eingeschaltet". Er schließt seine Betrachtung mit den Worten: „Bedauerlicherweise sind heute solche Erlebnisse selten geworden, wenn doch, müssen sich Rechtsanwälte, Polizei und sonstige Institutionen" damit herumschlagen.

Doch halt! Ein wenig Wasser muss „Saach blooß" an dieser Stelle in den Nostalgie-Kelch kippen: Denn „anno tobak", als vieles besser oder zumindest unkomplizierter war, gab es auch noch nicht so viele „Touristen" und „Nachbarn", die ihre Beute säcke- oder gar kofferraumweise von den Feldern und aus den Weinbergen karrten – zum Leidwesen der Bauern und Winzer.

Kurt Scherff aus Obrigheim-Mühlheim war übrigens der einzige Leser, der eine zweite Bedeutung von „stränze" in die Diskussion brachte: Gebraucht wird es nämlich auch im Sinne von „herumstreunen", „umherziehen" oder „stromern". Und ebendieser Hinweis führte auf die Spur der Entstehung des Wortes: Das mittelhochdeutsche „struten" für rauben, plündern habe dafür Pate gestanden, meint Klaus Juner aus Herschberg. Der „strutaerer" war der Wegelagerer oder Buschräuber – da ist es zum Mundraub nicht weit.

Folge 35, erschienen am 10.10.2003

„Do krigscht die Gääsegichter"

Den Schock in den Gliedern

Gruseln auf Pfälzisch: Wenn Gans und Ziege
sich Mut machen müssen

Nebelschwaden wabern durch den Wald. Ein später Hauch von
Dämmerung flieht vor der Nacht. Ein Ast knackt. Ein fremder
Schritt? Schweigen. Kalter Atem zeichnet seltsame Gestalten
in die Luft. Knack. Pause. Knack. Ein Starren. Pause. Ein Schrei.
Aaaaaaaaaaaaaaaaaaaaaaaah!!!

„Saach blooß" weiß nicht, was Arzt oder Apotheker in einer
solchen Situation empfehlen. Die Serie für Pfälzer Redensarten in allen Lebenslagen hat aber immerhin den passenden
Spruch parat: „Hoscht die Gääsegischtre? hieß es bei uns immer, wenn wir uns als Kinder fürchteten", schreibt Ruth Spieß
aus Kirchheim. „Gääsegichter hat jemand, der von einer plötz-
lichen, für die anderen eher unverständlichen Angst ergriffen
wird", erklärt auch Helmut Wingerter aus Neustadt. Und Heid-
run Löhlein aus Lautersheim berichtet: „Wenn ich Gääsegichter habe, ist mir entweder entsetzlich kalt, ich ekle mich vor etwas oder ich sehe gerade einen Thriller im Fernsehen."

Damit steht fest: Der gute alte Grusel hat sich auch in der
pfälzischen Sprache niedergeschlagen wie Gänsehaut auf einem zitternden Unterarm. Doch die Antwort auf die Entstehung
des Begriffs „Gääsegichter" ist mit diesem Vergleich leider noch
nicht gefunden. Denn jeder Pfälzer, jede Pfälzerin weiß: Die
„Gääs" ist mitnichten die Gans, sondern die Ziege. Heinz Hener schreibt: „Die Gääsegicht ist eine Krankheit der Ziegen, die
oft auftrat, wenn die Gääs immer nur im Stall stand, keinen
Auslauf hatte." Die Anzeichen beschreibt er so: „Sie setzte sich
in den Beinen fest, so dass die Ziegen immer unbeweglicher
und starrer wurden." Auch die Haare der Ziege hätten sich ge-
sträubt – wie bei einem angsterfüllten Menschen. Heners Groß-

mutter habe das so kommentiert: „Wann's die Gääse in die Knie krieche, gehn se ball ei." Die „Gääsegichter" könnten demnach „etwas mit Todesangst zu tun haben".

Karola Schied aus Neustadt hat dementsprechend ihre eigene gruselige Erfahrung gemacht: „Als Kind hatte ich schreckliche Angst, allein in den Keller zu gehen. Ich hörte dann, wie mein Vater sagte: Die krischt vor Angscht noch die Gääsegichter! Daraufhin fühlte ich immer, ob mir Hörner wuchsen, weil ich mir nichts anderes unter Gääsegichter vorstellen konnte."

Wie um solchen Auswüchsen vorzubeugen, liefert der Speyerer Theodor Folz aus „Kluges Etymologischem Wörterbuch" die sprachliche Entstehungsgeschichte der „Gicht": Diese sei aus dem mittelhochdeutschen Wort „gegihte" für Gliederlähmung, Zuckungen, Krämpfe hervorgegangen. Dazu passt die Information von Walter Limbacher aus Mannheim: „Gääsegichter habe ich in den östlichen Stadtbezirken Mannheims und den benachbarten Kreisgemeinden bis hin zur Bergstraße und dem vorderen Odenwald in dieser Zusammensetzung nie gehört, aber Gischter früher oft: Hoscht du die Gischter?, Do krigscht die Gischter – im Sinne von Angst und auch von Unpässlichkeit bis Krankheit.“

Symptome, die im Übrigen nicht nur für Angstzustände stehen, wie weitere Anwendungsmöglichkeiten für „Gääsegichter“ belegen: Wer zum Beispiel (ohne an dieser Stelle einen Fußball-Bundesligaverein aus der Pfalz beim Namen nennen zu wollen) als Anhänger sein Team immer und immer wieder nahezu kampflos verlieren sieht – auch der kann „die Gääsegichter kriegen“. „Es ist zum Verzweifeln“, lautet in diesem Fall die Übersetzung, die Inge Schornick aus Ludwigshafen liefert. „Wenn man Zorn hat, einem die Haare zu Berge stehen, wenn man innerlich platzt, weil man keine Luft mehr bekommt, dann kriegt man die Gääsegichter“, beschreiben „die Karin un die Elke vun de Haßlocher Sparkass“ die Situation besonders anschaulich.

Auf gut Pfälzisch kann man in solch einem Moment aber auch Zuflucht in einem psychologisch hochinteressanten zweiten Spruch suchen: „Ich krie was an mich!“ Was da im Wortsinne angeflogen kommen und sich des Sprechers bemächtigen könnte, bleibt dabei nämlich offen – als verborgene Drohung.

Folge 36, erschienen am 30.10.2003

„Hehlinge"

Hehlerei und Heißhunger

Wie der Hang zur Heimlichkeit
süddeutsche Volksstämme verbindet

Heimlichkeit verbindet – sogar Völker. Es hätte nicht viel gefehlt, und an der Stelle, wo Sie heute „Saach blooß" lesen, wäre einfach eine Landkarte erschienen. Eine Karte von der Pfalz, von Nordbaden, Südhessen, Schwaben und Mittelfranken. Mit lauter bunten Fähnchen auf den vielen, vielen Orten, in denen das Wort „hehlinge" oder „hälinge" benutzt wird, nach dem wir gefragt haben.

Von heimlichen Aktionen im Raum Ulm/Neu-Ulm berichtet zum Beispiel Diana Döring: „'s Chrischdkendle kommt au bald ganz hählinge", oder „Er hot hählinge da Geldbeidel aus dr Dasch gnomma", heißt es da auf Schwäbisch. Zumindest der zweite Satz ist erstaunlich. War doch „Saach blooß" bislang der Ansicht, im Schwabenland würde das Portemonnaie nur mit der Klammerzange und unter großem Wehklagen (und damit alles andere als heimlich) angefasst. Man kann sich ja mal irren, liebe Schwaben. Ahem. Im Remstal bei Stuttgart könnte man sich in einem solchen Fall „hehlinge davonschleichen", wie Johanna Kripp aus Ludwigshafen dankenswerterweise anmerkt.

Von einem Familienstreit in Mittelfranken erzählt Ingrid Kretschmer aus Speyer. In Wassertrüdingen, wo ihre Tante lebt, habe es vor einer Hochzeit Ärger zwischen den Verwandten gegeben: „Meine Tante erzählte mir später, dass einige der Nichteingeladenen hälinge in die Kirche gegangen wären." Willi Menz aus Mannheim erinnert sich, dass in seiner Jugendzeit „hehlinge" von Heddesheim bis hin zur hessischen Bergstraße gebräuchlich gewesen sei. Und Ruth sowie Ernst Ecker aus Maikammer zufolge wird das Wort heute noch in der Umgebung von Karlsruhe, also im Badischen, benutzt. Beide haben im Duden geblättert: „Hehler", „Hehlerei", „unverhohlen", „verhehlen" – es gibt im Hochdeutschen einige Wörter, die den Ursprung des Dialektworts „hehlinge/hälinge" verdeutlichen.

Trotz der weiten Verbreitung ist „hehlinge" zweifellos auch ein pfälzisches Wort. Erich Hoffmann aus Neupotz schreibt: „In Neupotz und – ich denke – in der ganzen Südpfalz benutzt man es, wenn jemand heimlich etwas durchsetzen will, ohne andere zu informieren: Des hot er ganz hehlinge mache welle." Jürgen Jacob aus Kaiserslautern zufolge ist „hehlinge" dagegen „heute fast ganz aus dem Sprachgebrauch verschwunden", nachdem es von seinen Großeltern (geb. um 1880) oft und von seinen Eltern (geb. um 1910) schon seltener benutzt worden war.

Ebenfalls von ihrer Großmutter kennt die Zweibrückerin Helga Schmidt das Wort. Sie liefert ein appetitliches Anwendungsbeispiel: „Ich deute es so: Jemand in der Familie möchte sein Gewicht reduzieren und isst bei Tisch wenig. Nachher kann er („Saach blooß" meint: Das kann auch Frauen passieren) sich aber nicht mehr beherrschen und futtert hehlinge, so dass es keiner sieht." Dazu passt der Spruch von Inge Schornick aus Ludwigshafen: „Warschd widder hehling an de Woinachtsgutsle (an den Plätzchen also)!" Wer so etwas schafft, ohne erwischt zu werden, ist laut Ruth Metz aus Hatzenbühl „en ganz Hehlingener – heute sagt man: clever".

Da es gerade ums Essen geht, ein kurzer Hinweis auf ein Wort, das sich nur in einem Laut von „hehlinge" unterscheidet, aber dennoch etwas ganz anderes bedeutet: Klaus Juner aus Herschberg und Robert Schneider aus Horschbach verweisen auf „gählinge" und „gählings" für „gierig, hastig, schnell, ungestüm". Beispiele: „Trink nit so gählinge" oder „Gähhunger" für „ein plötzliches, starkes Hungergefühl". Die Gedanken wieder auf eine nüchterne Bahn lenkt schließlich Günter Schroth aus Ludwigshafen: „Hehlinge" oder „Hälinge" sei nämlich der pfälzische Name des Orts Heiligenstein in der Vorderpfalz. Vielleicht sollte „Saach blooß" dort mal heimlich recherchieren.

Folge 37, erschienen am 14.11.2003

Nicht nur die Haare raufen

Wenn der Kopfschmuck unfreiwillig in Bewegung gerät

„Unn Schatz, wie findscht mei Frisur?" – „Gut." – „Du hoscht gar nit geguckt!" – Kurzer Blick. „Doch, is gut." – „Guck halt emol! Sin se do näwe nit e bissel korz?" – „Nä, ach was." – „Awwer e klä bissel länger wär doch schäner, mänscht nit?" – „Phhhhhh." Blick wandert nach rechts oben, Richtung Decke. – „Was häßt phhhhhhhh? Unn warum guckscht schunn widder so komisch?" – „Ich guck gar nit. Mir gfallen dei Hoor, wie se sinn." – „Awwer ...!?"

Wir wollen uns an dieser Stelle des Gesprächs diskret ausblenden, auch um sofort dem Vorwurf zu begegnen, hier würden Geschlechter-Klischees bedient. Werden sie nicht! Lesen Sie den Paar-Dialog einfach noch mal. „Saach blooß" hat keine Namen genannt, keine Geschlechter zugeordnet.

Wir halten fest: Heute geht es um Frisuren, nicht um Haare auf der Zunge. „Hoscht du widder ä Baratzel! Kumm, ich mach der dei Hoor", nennt Ludwig Hutzelmann aus Schifferstadt ein Beispiel für den Gebrauch jenes Wortes, nach dem wir gefragt haben; „Hot die ä Baratzel!" lautet ein ähnliches, eingeschickt unter anderem von Gisela Keller aus Zweibrücken. Den Ausruf „Mir fliegt die Baratzel fort!" als Reaktion auf einen starken Windstoß oder gar einen Sturm kannten dagegen nur Vorderpfälzer: Rosemarie Mathes aus Germersheim, Karola Schied aus Neustadt sowie Claudia und Bernd Hofmann aus Dudenhofen. Allen „Baratzel"-Fällen gemeinsam: Einer Person sind die Haare in Unordnung geraten – sei es nun durch allgemeine Witterungseinflüsse, sei es durch individuelle Nachlässigkeit.

„Meist war das Wort negativ besetzt", erklärt Monika Krämer aus Schifferstadt, ein Beleg dafür sei die Steigerung „Lausbaratzel". Immerhin kann man, so die Schifferstadterin weiter, das Wort aber auch einigermaßen neutral anwenden – was den Pflegezustand der Haarpracht betrifft. Und zwar nach einem erfolgreichen Kampf: „Ich hab se katt (gehabt) on ehre Baratzel!" In lautlich verdichteter Form findet sich die „Kampf-Baratzel" auch in der Redewendung „eine überbre(t)zeln" wieder. Im Großen und Ganzen jedoch, schreibt Hans Xavier Dieterle aus Ludwigshafen, stehe „Baratzel" schlicht für einen „ungepflegten Struwwelkopp". Nur Inge Schornick aus Ludwigshafen liefert eine dem widersprechende Variante: „Die Baratzel stelle" sei ihr als Metapher für hochmütiges Auftreten bekannt.

Erstaunlich: Wie mehrere Zuschriften belegen, ist in der Südwestpfalz die Baratzel auch als „Banatzel" bekannt – bei im

Prinzip gleicher Bedeutung. Erklärung: offen. Denn allein die Version „Baratzel" liefert Aufschluss über die Entstehung des Worts. Gisela Keller brachte „Saach blooß" auf die Spur, als sie von „einem hochgesteckten Haarknoten (auch Dutt genannt) oder einem zu einem Nest zusammengesteckten Zopf" sprach. Tatsächlich könnte das Vogelnest, speziell jenes der in der Pfalz „Atzel" genannten Elster, für den hinteren Teil der „Baratzel" verantwortlich sein. Was Karola Schied zu dem amüsanten Gedankenspiel veranlasste, „Mir fliecht die Baratzel fort" könne auch „Mir geht das Geld aus" bedeuteten: Das „Bare" sei in diesem Fall von der diebischen „Atzel" geklaut worden. Wahrscheinlicher klingt allerdings, was Rosemarie Mathes vermutet: Im vorderen Teil der „Baratzel" könnte sich die Kopfbedeckung „Barett" verstecken, oder – so die Lesart des „Pfälzischen Wörterbuchs" – das Wort „Barick", hinter dem sich wiederum die hochdeutsche „Perücke" verbirgt.

Folge 38, erschienen am 27.11.2003

„Kruhscht" und „Schambes"

Was vom Leben haften bleibt

Die Unzertrennlichkeit von Mensch und Kleinkram

Es hat schon psychologisch-analytische Tiefe, was „die Karin un die Elke vun de Haßlocher Sparkass" schreiben: „En Kruscher kruscht gern in soim Krusch." Und weiter: „Kruscht oder Schambes ist eigentlich unnützes Zeug. Aber für en Kruscher, was die Karin is, is de Kruscht sehr wichtig. Alles wird aufgehoben, weil man es irgendwann mal gebrauchen könnte. Nach einiger Zeit entrümpelt man und schafft Platz für neuen Schambes oder Kruscht."

Die Unzertrennlichkeit von Mensch und Kleinkram, den er (vorzugsweise auch sie) im Laufe der Jahre ansammelt, ist ein unerklärliches soziales Phänomen, dessen (tiefen-)psychologischen Ursachen „Saach blooß" erst einmal nicht auf den Grund gehen will. Was allein interessiert: Die Pfälzer haben gleich zwei Namen für all die Dinge, die mit erstaunlicher Hartnäckigkeit im Lebensraum eines Menschen haften bleiben: Schambes (auch Schambel, so Johanna Kripp aus Ludwigshafen, oder Gschambel/Schamott, so Rosemarie Mathes aus Germersheim, oder Schammass, so Gisela Keller aus Zweibrücken und Klaus Juner aus Herschberg) – sowie Kru(h)sch(t), auch bekannt als Kruhschtelskram.

Die Bedeutung der Begriffe unterscheidet sich kaum bis gar nicht. Beide bezeichnen „wertloses" (Ludwig Hutzelmann aus Schifferstadt), „altes" (Liselotte Hadeler aus Kirchheimbolanden), „minderwertiges" (Heike Dernberger aus Freimersheim), „unansehnliches, unbrauchbares, ausgedientes, durcheinander gewürfeltes" (Gisela Keller) Zeug. „Krempel" oder „Schrott" eben, bringt es Stefan Eck aus Maximiliansau auf den Punkt. Oft taucht eines der Worte in Zusammenhang mit der Aufforderung auf, die angesammelten Dinge zu entsorgen: „Schmeiß den Kruhscht/Schambes doch fort!" – Eine Bitte, die in der Regel umso weniger ins Bewusstsein des Adressaten vordringt, je nachdrücklicher sie vorgetragen wird.

Austauschbar sind die beiden pfälzischen Nippes-Schrott-Krempel-Wörter aber nicht. Denn nur „Kruhscht" lässt sich zum Verb abwandeln: So kann man im Keller/Garten/Schrank „kruschteln", schreibt Stefan Eck, oder „rumkruhschtle", erklärt Rosemarie Mathes. Sie führt außerdem den Kruhschtelskrämer für Hochdeutsch „Umstandskrämer" als Beispiel an.

„Schambes" oder „Schambel" wiederum hat – anders als „Kruhscht" – zwei weitere Bedeutungen, von denen eine in der

„Was sollen der Schambes do?"

ganzen Pfalz verbreitet ist, wie die Zuschriften von Klaus Hollinger aus Spirkelbach, Karl Heinz Ester aus Bad Dürkheim, Sieglinde Hammann-Neser aus Bissersheim, Johanna Keyl aus Frankenthal, Irene Platz aus Kaiserslautern, Kurt Scherff aus Obrigheim-Mühlheim und Klaus Juner aus Herschberg beweisen: „En Schambes" steht auch – oft abwertend – für einen Clown oder Possentreiber, jemanden also, der vor allem Unsinn im Kopf hat. Das „Pfälzische Wörterbuch" bietet als Erklärung den mageren Hinweis auf den Namen Johann-Baptist, der zu „Schambes" verkürzt worden sei. Die dritte Bedeutung laut Heike Dernberger: „Schambes" sei schlicht pfälzisch für Champagner, also „Schampus".

„Schambes" für Krempel könnte dagegen seinen Ursprung im Jiddischen haben: Laut Gisela Keller ist „Schamott" (nicht zu verwechseln mit Schamotte für feuerfesten Ton) das jiddische Wort für wertloses Zeug.

Die Entstehung von „Kruhscht" dagegen entzieht sich leider einer einfachen Erklärung: Klaus Juner führt die mittelhochdeutschen Wörter „gruse" für „Grausen" und „grutz" für Hamster an, woraus er sinngemäß die Übersetzung „grausiges Hamstern" ableitet. Eine amüsantere Erklärung werden wir sicher nicht finden.

Folge 39, erschienen am 23.1.2004

Im Mülleimer der Geschichte

Das Rätsel um ein siegreiches Abfallbehältnis

Namen sind Nachrichten, lautet ein journalistischer Leitsatz, der natürlich auch für „Saach blooß" gilt. Doch was hilft ein Name, wenn niemand weiß, wer sich dahinter verbirgt? Einen auf den ersten Blick simplen, aber tatsächlich besonders tückischen Namens-Fall hatten diesmal unsere Leserinnen und Leser zu lösen.

„Donn schmeiß es halt in de Wickder-(Ämer)!" – Der Satz, den Peter Hasenzahl aus Ludwigshafen von seinem Vater kennt, verrät in einer Hinsicht alles: Der „Victor-Eimer" – oder liebevoll pfälzisch verkürzt „Wickder" – ist schlicht ein Abfallbehältnis. Und zwar eines, das zwischen den 30er- und 60er-Jahren des 20. Jahrhunderts bei der öffentlichen Abfallentsorgung im Einsatz war, wie aus knapp 20 Zuschriften abzuleiten war.

Es war „ein Blecheimer, in dessen Deckel der Namenszug Victor eingeprägt war", erinnert sich Magda Loch aus Kaiserslautern und lieferte – nicht als einzige – den Hinweis, wie der Eimer zu seinem Namen kam. Doch keine Antwort hatte sie auf die Frage: Wer ist dieser Victor (lateinisch: der Sieger), der seinen Namen auf Blech-Eimern verewigte?

Wie zum Trost gingen detaillierte und weitgehend übereinstimmende Beschreibungen ein. Martin Reichert aus Frankenthal: „Er war aus verzinktem Eisenblech hergestellt. Er wird etwa 50 Zentimeter hoch gewesen sein (Margot Paulokat aus Kerzenheim hält 60, Klaus Semmler aus Bad Dürkheim 70 Zentimeter für wahrscheinlicher) und einen Durchmesser von 35 bis 40 Zentimeter gehabt haben. Als Henkel war ein metallener Bügel unterhalb des Randes an gegenüberliegenden Punkten gelenkig befestigt. Der metallene Deckel war durch zwei Ösen an seinem Rand mit dem Henkel verbunden. So konnte man den

Deckel an einem in der Mitte angebrachten Griff hochheben und ihn, ohne sich die Finger schmutzig zu machen, mit dem Henkel zur Seite klappen, um Abfall in den Eimer zu werfen." Noch Fragen? „Beim Leeren gab es stets ein Mordsgerappel", weiß Anni Becker aus Kaiserslautern. „Er fasste 25 Liter", ergänzt Heinz Buchholz aus Winden. Am Eimerrand sei ein „V" eingeprägt gewesen – ob ergänzend oder alternativ zum Deckel-Schriftzug „Victor", das ist nicht ganz klar.

„Ich gehe davon aus, dass dies der Name der Herstellerfirma war", sagt Uschi Molter aus Frankenthal. Auch Ernst Kimmel aus Neustadt schreibt: „Des war vermutlich de Name vum Fabrikant" – mit Betonung auf „vermutlich". Reimend trifft Kimmel den Nagel auf den Kopf: „Mäh is mer dodezu leider nit bekannt." Und nicht nur ihm, sondern auch sonst niemandem.

In keinem Firmenregister entdeckte „Saach blooß" einen Hinweis auf die Firma „Victor", selbst im unendlich auskunftsfreudigen Internet fand sich kein Indiz. Fast so, als hätte es den Eimer nie gegeben. Dabei erinnert sich doch Wolfgang Breyer aus Frankenthal an seinen kindlichen Ärger über die Reaktion mancher Erwachsener auf seinen Berufswunsch „Lehrer" – „Ach ja, du wärschd emol Victor-Leerer", habe es da geheißen.

Nur einen leibhaftigen Beweis jenseits der Erinnerungen unserer Leser gibt es für die Existenz des Victor-Eimers. Den entdeckte „Saach blooß" weit außerhalb der Pfalz: 1996 hing ein Foto eines „Wickders" im Tübinger Stadtmuseum, bei einer Ausstellung zur „Stadthygiene im 19. und 20. Jahrhundert" – nachzuprüfen im Internet (www.cityinfonetz.de/museen/tuebinge/hygiene/bilder.html). Aber: Ein Hinweis auf den Namensgeber fehlt leider auch dort.

Nachtrag: Erst nach Erscheinen der Folge zum „Victor-Eimer" erreichte „Saach blooß" die erhellendste Zuschrift: Horst Schäfer aus Kaiserslautern hatte das Rätsel um die Herkunft des Behältnisses gelöst: „Es handelt sich um ein Produkt der Firma Schilling in Stuttgart aus dem Jahre 1906", schreibt Schäfer. Der Eimer mit dem Erfolg versprechenden Namen habe sich

vor dem Ersten Weltkrieg gegenüber der Konkurrenzmarke „Noris" der Firma Orelli, Nürnberg, durchgesetzt, was nachzulesen sei in einem 1998 bei Rohr-Druck, Kaiserslautern, erschienenen Fachbuch. – Und wieder einmal hatten unsere Leserinnen und Leser ein sprachwissenschaftliches Geheimnis bis ins Detail gelüftet, das noch dazu erneut weit über die Grenzen der Pfalz hinausreichte.

Folge 40, erschienen am 6.2. 2004

„Driwweliere"

Wenn genug nicht genug ist

Vom Quengeln und Drängeln oder:
Wofür die Lateinstunde doch gut war

Ein Hoch auf alle Quälgeister! Denn wer lange genug drängelt und quengelt, der erreicht ab und zu Erstaunliches. Wir geben zwar zu: Auch „Saach blooß" weiß nicht, seit wann der Sphinx in Gizeh die Nase fehlt, warum Marmeladenbrote immer mit der klebrigen Seite auf dem Teppich landen und was die Welt im Innersten zusammenhält. Doch dafür lösen unsere Leserinnen und Leser, vierzehntäglich sanft von „Saach blooß" gedrängt, ein ums andere Mal die schwierigsten Sprachrätsel. Und nicht nur rein pfälzische, wie wir immer wieder feststellen.

Denn viele Wörter und Sprüche, die sich als zweifelsfrei pfälzische Mundartausdrücke offenbaren, sind in Abwandlungen auch in anderen Regionen bekannt, worauf uns Kurt Stöhr aus Pirmasens wiederholt – und damit knapp an der Grenze zum „driwweliere" – hingewiesen hat, zuletzt bei der „Saach blooß"-Frage nach „driwweliere". Zu Stöhrs urschwäbischen Sprachkenntnissen nämlich, die bis zum 1858 geborenen Großvater reichten, gehöre das Wort „dribbeliere" für „drängen", „antreiben". Elsbeth Fix aus Bad Dürkheim beschreibt den Gebrauch in einer Kindheitserinnerung: „Wenn ich irgendwas haben oder durchsetzen wollte und an meiner Mutter unaufhörlich herumnörgelte, bis sie es satt hatte, dann schrie sie: Hör auf mit dem driwweliere, jetzt reicht's!" Soll heißen: Genug ist genug – eine These, der ein echter Driwwelierer freilich widersprechen würde.

Das von Kurt Stöhr ins Spiel gebrachte schwäbische Doppel-B in der Wortmitte weckte bei Ute Huf aus Stahlberg indes die Assoziation „dribbeln" – wenn also beim Fußball das Spielgerät „mit kurzen Stößen vorangetrieben wird", wie sie erklärt. Karl Heinz Ester aus Bad Dürkheim fühlt sich außerdem ans englische „drive" erinnert. Und in der Tat kann man auf Englisch mit „you drive me crazy" (du machst mich wahnsinnig!) ebenjene Situation auf den Punkt bringen, die einen Pfälzer zum Ausruf „Driwwelier nit so!" motivieren würde. Laut „Pfälzischem Wörterbuch" sind in der Südpfalz, speziell in der Nähe von Bergzabern, übrigens auch „triwwelierte Grumbeere" bekannt – als anschauliche pfälzische Bezeichnung für Pellkartoffeln. Dass „Gequellde" nun wiederum von „Gequälte" abstammen könnte, können Sie, liebe Leserinnen und Leser, dagegen getrost als „Saach blooß"-Scherz am Rande abtun ... Dafür verraten wir an dieser Stelle allen Nicht-Pfälzern, dass die „Grumbeer" in der Pfalz nicht so heißt, weil sie krumm ist, sondern weil sie im Grunde des Bodens wächst.

„Herr uff se driwweliere!"

Doch bevor jemand zu driwweliere anfängt, zurück zum Thema: Auch Hinweise auf eine „Triebel" genannte Kurbel (von Elke Plass-Mackensen aus Niederkirchen) und das französische „troubler" für „stören", „verwirren" (von M. Ettisch-Enchelmaier aus Dirmstein) erreichten die Redaktion.

Doch viel, viel weiter in der Sprach-Vergangenheit könnte diesmal die Antwort verborgen liegen, wahrscheinlich verdrängt wie die Erinnerung an quälende Lateinstunden. „Tribulare" steht in der Sprache der Römer nämlich für „mit Bitten belästigen", worauf Gerhard Hoch aus Zweibrücken sowie Anneliese Heigl hinweisen. „Saach blooß" meint: Quod erat demonstrandum. Und der Lateinunterricht war doch mal für was gut.

Folge 41, erschienen am 27.2. 2004

„Der basst uff wie en Hechelmacher"

Vorsicht, Pfälzer!

Wenn Nagelbrett oder Korsett volle Aufmerksamkeit verlangen

Vorsicht, Dialekt! – Wer in der Pfalz lebt oder sich in dieselbe begibt, muss damit rechnen, den Spruch „Bass blooß uff!" zu hören. Wobei dies – allen Nicht-Dialektsprachlern zur Information! – nur in Ausnahmefällen fürsorglich, jedoch in der Regel als knallharte Drohung zu verstehen ist. Soll heißen: Einmal mag damit tatsächlich vor einer versteckten Treppenstufe, ein andermal dagegen nachdrücklich davor gewarnt werden, beispielsweise mit der provozierenden „Dummbabblerei" fortzufahren. Gleich ist beiden Optionen nur: Wer die Drohung nicht ernst nimmt, muss mit ernsten Folgen rechnen. Ob zu Recht oder nicht, darüber sind Entscheidungen im Einzelfall zu treffen.

Dass der Pfälzer grundsätzlich ein durchaus vorsichtiger Mensch zu sein scheint, dem das Wort „uffbasse" häufig über die Lippen geht, belegen die zahlreichen Ausprägungen des Spruchs, nach dem wir in der letzten Folge gefragt hatten: „Der basst uff wie en Hechelmacher". Denn „Saach blooß" erfuhr: Als weitere vorbildlich vorsichtige Wesen werden in der Pfalz neben dem „Hechelmacher" auch der „Heftelmacher" und sogar die „Hechelmaus" herangezogen.

Den Zuschriften nach zu schließen vornehmlich in der Süd- und Vorderpfalz bekannt, war der „Hechelmacher" ein Handwerker, der nagelübersäte Holzplatten herstellte. Über diese Platten wurde dann der Flachs gezogen, wodurch Flachsfasern entstanden, aus denen wiederum Leinen gewoben werden konnte. Das berichten Klaus Hollinger aus Spirkelbach, Manfred Bouquet aus Schaidt, Karl Heinz Ester aus Bad Dürkheim, Inge Schornick aus Ludwigshafen und Falk R. Rittig aus Grünstadt. Die allgemein in der Südpfalz benutzte Hechel war Bouquet zufolge 28 mal zehn mal zwei Zentimeter groß und mit 150 bis

„Der basst uff wie en Hechelmacher."

160 handgeschmiedeten Eisennägeln versehen, die ihrerseits zehn bis zwölf Zentimeter lang waren. Aufpassen musste der Hechelmacher, dass beim Nageln das Holzbrett nicht riss und damit unbrauchbar wurde.

In ihrer westpfälzischen Geburtsstadt Zweibrücken sei der „Hechelmacher" eher unbekannt, stattdessen laute die Redewendung dort „uffbasse wie e Hechelmaus", bringt Lieselotte Sunder-Plaßmann die tierische Version in die Diskussion, die laut Klaus Juner auch im ebenfalls westpfälzischen Herschberg bekannt ist: „Er spitzt die Ohre wie e Hechelmaus", heißt es dort. Während der Herschberger vermutet, die Hechelmaus habe ihren Namen von den Hecken, in denen sie lebe, sieht die Zweibrückerin die Hechel- einfach als Haselmaus, die nachtaktiv und scheu sei.

Der „Heftelmacher" als sprichwörtlicher Aufpasser Nummer drei scheint bayerischen oder österreichischen Ursprungs zu sein. Karin Zickler aus Gleisweiler, gebürtige Bayerin, erinnert sich an den Ausspruch ihrer Großmutter „da kannsch aufbasse wie en Haftlmacher", wobei der Haftlmacher derjenige war, der Ösen an Kleidungsstücke anbrachte und bei der Arbeit hoch konzentriert ans Werk gehen musste. Auch im Wiener Dialekt sind Hafteln laut Winfrid Hütter aus Rülzheim Drahtspangen, mit deren Hilfe Korsetts und Mieder („Saach blooß" meint: vorsichtig) geschlossen und („Saach blooß" meint: nicht immer vorsichtig) auch wieder geöffnet werden. „Der geht hinnerher wie en Heftelmacher" ist übrigens – ganz ohne internationalen Bezug – auch der Bad Dürkheimerin Ilse Münden geläufig.

Folge 42, erschienen am 19.3. 2004

„Wehmache" oder „wehdu(e)"

Bis die Birne brummt

Ein Pfälzer kennt mehr als einen Schmerz

Warnung: Grübeleien nach der Lektüre des folgenden Artikels könnten Kopfschmerz verursachen.

Um vorweg mal ein hochdeutsches Sprichwort zu widerlegen: Hinterher ist man nicht immer schlauer. Dabei hatte „Saach blooß" nur die schlichte Frage aufgeworfen, ob einem Pfälzer, der beispielsweise zu tief ins Glas geschaut und/oder sich den Kopf gestoßen hat, „de Kopp wehduht" oder „de Kopp wehmacht". Die Zuschriften unserer Leserinnen und Leser brachten zwar ein eindeutiges Ergebnis, aber letztlich sollte doch Günter Steinbrecher aus Steinfeld Recht behalten: „Ich mään, mer misst des mit dem Wehduh und Wehmache e bissel differenziere."

Und wir differenzieren: „Ich habe noch nie jemanden sagen hören: Mir macht de Kopp weh", schreibt Joachim Lehmler aus Ludwigshafen, dessen Einschätzung nicht nur von Stefan Eck aus Maximiliansau unterstützt wird, sondern auch von Ruth Strauch aus Zweibrücken und Norbert Kästel aus Geinsheim. Gegenmeinungen: Fehlanzeige. Was umso erstaunlicher ist, als „Saach blooß", stets rast- und ruhelos in Sachen Pfälzer Sprache unterwegs, zumindest in der Südpfalz immer wieder gehört hat: „Mir macht de Kopp/de Fuß/de Arm/de Bobbes weh." Wobei der „Bobbes" in der Pfalz für den Hintern beziehungsweise den lautverwandten Popo steht.

„De Arm duht weh, wammer sich am Arm wehgemacht hodd", schreibt immerhin Johanna Kripp aus Ludwigshafen, und Joachim Lehmler erklärt: Wer sich verletze, der könne das auf Pfälzisch durchaus „wehmache" nennen, der Körperteil jedoch, welcher verletzt werde, „duht" anschließend weh. Günter Steinbrecher differenziert gar medizinisch: „Wann ich beischpielsweise mein Arm irchendwo anrenn, dann duht er weh." Führe aller-

dings ein Wetterumschwung zu rheumatischen Schmerzen, könne der Arm durchaus auch „wehmache".

Derart ausdifferenziert – um nicht zu sagen verwirrt – such-
te „Saach blooß" Rat bei der Mannheimer Dudenredaktion, die
sich zwar nicht mit dem Pfälzischen herum-, ansonsten aber alles nachschlägt, was einem an Sprachfragen durch den Kopf gehen kann. Zum Beispiel der Unterschied zwischen „machen"
und „tun". Marlies Herweg erklärt: „Machen" (von Althochdeutsch mahhon für: den Lehmbrei zum Hausbau kneten) stehe häufig anstelle eines Verbs, das die entsprechende Tätigkeit
genauer benenne. Beispiele: Gedichte/Spielzeug/Essen machen. „Tun" (von Althochdeutsch tuon für setzen, stellen, legen)
werde dagegen benutzt, wenn eine Handlung gern/ungern/frei-
willig/allein oder auf sonst eine bestimmte Art ausgeführt wird.

Wie sich angesichts dieser Differenzierung die pfälzische Aufforderung „duh des mol mache!" erklären lässt, darüber wollen wir uns heute aus Angst vor möglichen Schmerzen den Kopf
lieber nicht zerbrechen. Viel wichtiger ist da das Dudenmacht-
wort: Auf „weh" folgt Hochdeutsch zwingend „tun". Nur: Auch
Duden-Expertin Herweg hat schon von „wehmachen" reden gehört, umgangssprachlich nämlich.

„Saach blooß"
meint: Durchat-
men, damit der
Kopf wieder frei
wird.

*Folge 43,
erschienen am
2.4.2004*

„Piens net, du Piens(er)!"

Oh Schmerz, oh Pein!

Im Land der Jammerlappen oder:
Wenn Pfälzer klagen, ohne zu leiden

Frauen, aufgepasst! Ob's einfach Zufall ist, Spiegel eines verbreiteten Vorurteils oder Ausfluss der Lebenserfahrung unserer Leserinnen und Leser – fest steht: Wäre „Saach blooß" ein Meinungsforschungsinstitut, wir könnten heute eine absolute Mehrheit vorhersagen. Und zwar in der drängenden Frage, welches Geschlecht den Pfälzern als erstes in den Sinn kommt, wenn es ums Jammern und Klagen geht.

„Eine Piens ist ein weinerliches Mädchen", meint Klaus Juner aus Herschberg. Gisela Keller aus Zweibrücken sagt: „Hauptsächlich kleine Mädchen piensen so lange, bis sie erreicht haben, was sie wollen." Letzte Zweifel zu vertreiben, ist die Zuschrift von Edda Boden aus Kaiserslautern geeignet: „Was is e Piensje? Ich deet saa – 's is nit männlich, 's is e Fraa", reimte sie auf unseren Aufruf hin, was es mit dem pfälzischen Wort „piensen" (auch: „pienzen") auf sich habe. „Wehleidig quengeln, weinerlich tun", lauten Klaus Juners Übersetzungsvorschläge. „Nängern" und „näselnd keitern" bietet Gisela Keller als originelle hochdeutsche Versionen an, während Elfriede Kiefer aus Frankenthal erklärend über „Pienser" dichtet:

> *„Hann die än Schnuppe in de Nas,*
> *do wäß es gleich die ganze Gass."*

Neudeutsch werden „Pienser" und „Piense" übrigens gerne mit dem Spruch „Piens dich net (oder nit) ins Koma" bedacht. Ingeborg Hellmann aus Lustadt hat bedeutungsähnliche pfälzische Wörter entdeckt:

> *„'s Piense kann mer ach benutze*
> *zum Gradselääd und ach zum Trutze."*

Wobei bei Ersterem die wörtliche Übersetzung „Gerade zu(m) Leid" (also: mit Absicht wehtun) sogar zu einer möglichen Erklärung für die Entstehung führt: Wie unter anderem Birgit Dietrich aus Schwedelbach schreibt, könnte es eine Verbindung zum veralteten Wort „Pein" für Schmerz geben.

„Piens net so, des heilt, bis du Großmudder wärschd", musste sich Herta Barchet aus Fußgönheim als Kind anhören, wenn sie sich beim Spielen die Knie aufgeschlagen hatte – womit auch die Geschlechter-Debatte fortgeführt wäre: Mutter ermahnt Tochter, sich nicht so anzustellen. Dann noch die Anmerkung von Helmut Wingerter aus Neustadt: Der Begriff „Piens" diene „eigentlich nur zur Charakterisierung einer weiblichen erwachsenen Person". Punkt. – Punkt?

Es gibt abweichende Meinungen. Kurt-Peter Grünnagel aus Höheinöd zum Beispiel – der „piensen" als „piemsle" kennt – nennt in seiner Zuschrift zweifelsfrei die männliche Form: „Piemsler". Und Edmund Koppenhöfer aus Bad Dürkheim wurde – als Junge! – öfter angeraunzt: „Her uff zu piense!" Den Gipfel der Gleichberechtigung hat aber Inge Lenhart aus Landau erklommen. Sie schreibt: „Er liegt mit einer Erkältung danieder und jammert leise (und Mitleid heischend) vor sich hin. Darauf die liebe Ehefrau: Musch du piense? Ei wann d' an doim Audo rumschraubschd und rennschd der de Kopp aa, dann pienschd jo aach nid!"

Nicht unterschlagen wollen wir an dieser kritischen Stelle Helmut Wingerters Hinweis auf das französische Wort „pincer" für „kneifen, zwicken". Es findet sich beispielsweise in der deutschen Pinzette wieder (womit allerdings keine jammernde Dame gemeint ist). Joachim Lehmler aus Ludwigshafen glaubt indes nicht an einen Zusammenhang zwischen „pincer" und „piensen". Bei der Wortschöpfung handele es sich eher um Lautmalerei, „da ein Pienzer jämmerliche, klagende Laute von sich gibt" („Piiiiiiens"). Und er liefert – hoffentlich allen in diesem Beitrag bislang als wehleidig geschmähten Frauen zum Trost – eine ganze Latte hochdeutscher Wörter, die allesamt nur für männliche „Pienser" stehen: von der Memme zum Jammerlappen und Schlappschwanz oder neudeutsch vom Warmduscher bis zum Weichei.

Folge 44, erschienen am 16.4.2004

Ein Lob den Lumpen

Was lange währt, wird selten gut:
Wenn Pfälzer unter Zeitdruck kommen

Nun mal langsam, liebe Leserinnen und Leser! Über 30, teils seitenlange Zuschriften zum Thema „Huddel"? Was sollen denn die Leute von uns denken? „Streit, Krach, Durcheinander, so än Ärscher!, do hoschd de Salaat!", so umschreibt Lothar Kohler aus Schwegenheim treffend das Wort, nach dem wir gefragt haben. Ist es da denn in Ordnung, dass der unerfreuliche „Huddel" – westpfälzisch auch: „Hurl", Verb: „huddle" – sich als ein Lieblingswort der Pfälzer entpuppt? „Saach blooß" meint: Es ist. Und wie ...

„Wann mer so huddelt, werd's oft net g'scheit, und hinnerher hot mer dann de Huddel", bringen es die Karin un die Elke vun de Haßlocher Sparkass auf den Punkt. Beispiele: Da platzt die Nachbarin vor Neugier: „Habt er widder Huddel g'habt vorhin?" (eingeschickt von Inge Schornick aus Ludwigshafen). Da läuft ein Vorhaben nicht so wie geplant: „Do hamma de Huddel!" (Michaela Gropp-Klein aus Rödersheim). Da ergeht die Aufforderung, langsamer, sorgfältiger, bedächtiger zu handeln: „Numme ned huddle!" (Joachim Lehmler aus Ludwigshafen), „Huddel nit (net) so!" (Stefan Eck aus Maximiliansau und Karin Schuler aus Alsenborn) oder „Net huddle un net schnuddle!" (Karola Schied aus Neustadt).

„Es handelt sich um ein Wort, das mir als absoluter Durchschnittsfrau (Mann, zwei Kinder, Haus, Garten, Minijob) aus der Seele spricht", schreibt Tina Küssner aus Bad Dürkheim. Denn sie gerate „zwangsläufig in Huddel", wenn sie versucht, an einem halben Tag das zu erledigen, was „objektiv betrachtet drei Tage füllen würde". Das beweist: „Huddel" hat etwas mit Mangel an Zeit zu tun. Dass Wolle „verhuddelt", wenn man sie zu

schnell aufzuwickeln versucht, weiß nicht nur Karin Pfalzgraf aus Erlenbach. Und dass aus mangelnder Sorgfalt handfester „Huddel", erwachsen kann, liegt auf der Hand. Übrigens auch im Badischen, wie der „zugereiste" B. S. Orthau aus Burrweiler anmerkt. Und sogar in Nordrhein-Westfalen, im Oberbergischen Land: „Dä hett en Huddel ömmet Hus" bedeutet dort laut der ebenfalls eingewanderten Christina Hurtz aus Kriegsfeld: Ums Haus herum ist es ziemlich unordentlich.

Im Haus landete „Saach blooß" auf der Suche nach dem Ursprung allen „Huddels", genauer gesagt in der Küche, exakt: im Backofen. Ein Lappen, an einer Stange befestigt, werde nämlich zum „Aushuddle" (Reinigen) desselben verwendet, worauf unter anderem Joachim Möller aus Berg hinweist, während Hermann Brönner aus Speyer mit dem „Hudel" Spinnweben (hoffentlich nicht im Backofen) entfernt. Der „Hud(d)el" sei nämlich ein in Streifen geschnittener Lumpen. Und in der Tat gab es im Spätmittelhochdeutschen (also bis ins 14. Jahrhundert) das Wort „hudel" für Lappen, Lumpen, Stofffetzen, wie Helmut Wingerter aus Neustadt nachgeschlagen hat. „Hudel, Huder,

Hader" – all diese Formen seien einst gebräuchlich gewesen, ergänzt Klaus Juner aus Herschberg – womit über „hadern" gar ein direkter Bezug zum heutigen Wort „Streit" hergestellt wäre. Dass das (bayerische) Schimpfwort „Haderlump" sich jetzt fast von alleine erklärt, dafür könnte sich „Saach blooß" mal wieder auf die Schulter klopfen – doch der Lobhudelei in eigener Sache enthalten wir uns natürlich vornehm, auch wenn es tatsächlich ein hochdeutsches Wort ist, in dem sich der sonst vor allem im Dialekt vorkommende „Hud(d)el" bis heute erhalten hat – ein Umstand, auf den unter anderem Ruth Kliefoth aus Kaiserslautern hingewiesen hat.

Nachtrag: Dass ausgerechnet jene „Saach blooß"-Folge, in der wir uns ausführlich dem „Huddel" widmeten, in der Redaktion einen bis dahin einmaligen „Huddel" ausgelöst hatte, verrieten wir unseren Leserinnen und Lesern eine Woche nach ihrem Erscheinen unter der Überschrift „Nachtschicht für den Karikaturisten". Die Geschichte wollen wir Ihnen nicht vorenthalten:

„Was fer en Huddel!" – Hätten Sie gedacht, liebe Leserinnen und Leser, dass der Flugverkehr über dem Saarland eine Folge von „Saach blooß" fast zum Absturz bringen kann? Dass – um es metaphysisch zu betrachten – der „Huddel", der als Leitmotiv über unserem jüngsten Beitrag schwebte, sich aus der noch nicht einmal gedruckten Zeitung ins wirkliche Leben wurschteln konnte? Hätten Sie nicht gedacht? Wir auch nicht.

Wie alle zwei Wochen wieder, saß der Verfasser (auch dieser Zeilen) am Abend in den letzten Zügen über dem fast fertigen Text und wartete nur noch auf die – wie stets – richtungweisende Karikatur zum Spruch. Diese jagt RHEINPFALZ-Zeichner Uwe Herrmann aus dem südwestpfälzischen Obersimten – wie stets – auf den allerletzten Drücker, sprich: haarscharf zum Redaktionsschluss, durch den Äther. So auch diesmal. Und siehe da: Ein „Pälzer Babbe" hatte in Herrmanns unerschöpflicher Phantasie „Huddel" mit einem Motorsegler-Piloten, weil sich die Schnur des Kinder-Drachens im Propeller des Fliegers „verhuddelt" hatte – mal wieder genial.

Kalt und heiß wurde es dem zuständigen Redakteur aber nicht wegen der prickelnden Illustration zum „Huddel"-Text, sondern weil auf der Zeitungsseite – Luftlinie neun Millimeter neben dem „Saach blooß"-Text – ein hoch aktueller und brisanter Bericht über einen Beinahe-Zusammenstoß eines realen Motorseglers mit einem nicht weniger realen Kampfflugzeug seiner Veröffentlichung harrte. Und da, so war sich die Redaktion schnell einig, hört der Spaß natürlich auf: Karikatur und Nachricht passten auf der Seite einfach nicht zusammen, weil sie so gut zusammenpassten. Der „Huddel" war perfekt.

Mit der unausweichlichen Folge, dass Karikaturist Herrmann, im beschaulichen Obersimten längst auf Feierabend eingestimmt, von der Redaktion auf einen erneuten Gedankenflug geschickt wurde. Auftrag: Neue Idee, neue Karikatur, eineinhalb Stunden Zeit. Start frei.

Dass es schließlich doch noch geklappt hat mit dem „Saach blooß" inklusive Illustration, konnten Sie, liebe Leserinnen und Leser, vorige Woche bunt auf weiß sehen und lesen. Zu schade wäre es jedoch, Ihnen die Original-„Huddel"-Zeichnung vorzuenthalten – heute, da es friedlich ist am saarländischen Himmel.

Immerhin haben wir dadurch noch Raum, Folgendes festzuhalten: „Huddel" steht in der Pfalz auch für diverse Fortbewegungsmittel (keine Sorge: nur flügellose!). „Hoschd dei Huddel schun gebutzt?", fragt beispielsweise ein typischer Motorrad-Freund angesichts der ersten Frühlings-Sonnenstrahlen seinen „Biker"-Kollegen. Heinz Braun aus Ellerstadt erinnert sich an die Zeit nach dem Zweiten Weltkrieg, als mancher mit einem selbst zusammengebastelten Motorrad unterwegs war, „das öfter mal den Geist aufgab". Der Ausspruch „Na, was macht dei Huddel?" sei damals gang und gäbe gewesen. Aber auch die Rhein-Haardt-Bahn, einst das flotteste Fortbewegungsmittel zwischen Bad Dürkheim und Ludwigshafen, wurde und wird als „Huddel" tituliert, versicherte uns Tina Küssner aus Bad Dürkheim. – Dass im Übrigen das russische Wort „chudoy" (sprich: hudoi) „übel, schlecht, schlimm" bedeutet, wie Heinz Braun ergänzt, möge das sprachliche „Huddel"-Bild vollends abrunden.

Sie sehen: Man lernt nie aus. Ob unser Karikaturist Herrmann nun jedoch alle 14 Tage die Flugaufsicht in Saarbrücken anrufen wird, bevor er mit dem Zeichnen beginnt, ist eher fraglich. Als wahrscheinlicher gilt in Redaktionskreisen, dass der Zeichner künftig „Saach blooß"-Karikaturen ein bisschen früher anliefern wird, auch wenn das zu Konflikten mit dem künstlerischen Leitsatz führen könnte, der lautet: „Norre net huddle".

Folge 45, erschienen am 29.4. und 6.5.2004

„So en Umuuß"

Von der Muse verschmäht

Für den kleinen Ärger zwischendurch:
Wenn Pfälzer sich plagen müssen

Pfälzerinnen und Pfälzer scheinen geplagte Menschen zu sein. „Saach blooß" hat nämlich herausgefunden: Die Muße – „jene freie Zeit und innere Ruhe", die bei Helmut Wingerter aus Neustadt die begeisterte Erinnerung an das lateinische „otium" weckt, „das von den Römern der Antike inmitten ihrer Geschäftigkeit so hoch geschätzt war und dem der Dichter Horaz und der griechische Philosoph Epikur ein ewiges Denkmal gesetzt haben" – die Muße also findet nur im Dialekt ihre Verneinung: die „Un-Muße", wie Marlies Moos aus Frankenthal es nennt, pfälzisch: „de Umuuß" (der zu allem Überfluss auch noch das Geschlecht gewechselt hat).

„Mach doch net so e Umuuß" – mit diesem Ausspruch ihres Ehemanns lernte Ruth Specht aus Ramstein-Miesenbach das Wort kennen: „Ich verstand es so, dass er keine Störung seiner Muße mochte." Inge Schornick aus Ludwigshafen, „die Karin und die Elke vun de Haßlocher Sparkass" sowie Maria-Luise Doppler aus Hochdorf-Assenheim setzen „Umuuß" mit „Umstand/Umstände" gleich. Die Ludwigshafenerin: „Ich rufe eine Freundin an und lade mich bei ihr ein: ... awwer mach der kä Umuuß, ich fahr jo de negschde Morje schunn wieder fort."

Besuch, unliebsamer oder auch lieber, ist aber nur einer von vielen Anlässen für „zusätzlichen, oft unangenehmen Arbeitsaufwand", wie Johanna Kripp aus Ludwigshafen „Umuuß" definiert. Umzug und Behördengänge zählten ebenfalls zu den Plagen, außerdem der Papierkrieg nach einem Verkehrsunfall, so Rosemarie Mathes aus Germersheim. „Wonn ich blooß an denn Umuuß denk" ist für Ottilie Rieder aus Deidesheim eine typische Ausrede, wenn sich jemand (zum Beispiel) vor dem drin-

gend notwendigen Tapezieren drückt. Wenn der Jemand schon bis zum Hals in der ungeliebten Arbeit steckt, wäre der passende Ausruf für Ludwig Hutzelmann aus Schifferstadt: „Jesses, was hämmer uns do widder en Umuuß uff de Hals gelade!" Zum Trost: Nicht nur die Pfalz beklagt die Plackerei: Laut Gerhard Agterhoff aus Ruppertsberg ist „Umuuß" auch im Ruhrgebiet ein Begriff, und Ottilie Rieder verweist auf die bayerische Weihnachtslegende von Ludwig Thoma, in der es heißt: „Da Unmuaß is oiwei des größt."

Den Unterschied zwischen „Umuuß" und „Huddel" (vergleiche die vorhergehende Folge) erläutert Andreas Haufe so: „Wann der än Huddel bassiert, des is ä Uuglick, donn konn der's bassiere, dasch'd Umuuß hoschd, weilsch'd rumrenne muschd fer de Huddel widder zureschtzurigge." Werner Bauer aus St. Julian meint, dass „Umuuß" eher für den eigenen kleinen Ärger oder Alltagsprobleme stehe (worauf im Übrigen auch Anni Becker aus Kaiserslautern hinweist), „Huddel" dagegen für Auseinandersetzungen oder offene Meinungsverschiedenheiten mit anderen.

Keinerlei Raum für Streit lässt im Fall „Umuuß" die Sprachgeschichte, wie Falk R. Rittig aus Grünstadt, Klaus Juner aus Herschberg und Norbert Kästel aus Geinsheim darlegen: Während sich aus dem mittelhochdeutschen Wort „muoze" für „freie Zeit, Untätigkeit, Bequemlichkeit" das hochdeutsche „Muße" entwickelte, blieb das im 11. bis 14. Jahrhundert ebenfalls noch verbreitete „unmuoze" für „Mühe, Unannehmlichkeit" im Hochdeutschen – Ausnahme: die Ableitung „Unmut" – schlichtweg auf der Strecke (wie umgekehrt die Muße im Dialekt!). Gäbe es also nicht die bewahrende Kraft der Mundart, man könnte irren und glauben, sämtliche Plagen wären mit dem Mittelalter verschwunden.

Folge 46, erschienen am 3.6.2004

„Mach jo kä Mengengkes!"

Schneckentänze und Schikanen

Nicht ganz freiwillig: Deutsche Elitekicker
erklären einen Pfälzer Begriff

Nein, „Saach blooß" hatte keinen Tribünenplatz bei der Fußball-Europameisterschaft 2004 in Portugal. Es war wohl reiner Zufall, dass sich die deutschen Kicker und ihre sportlichen Leiter alle Mühe gaben, den während der EM zur Debatte stehenden Pfälzer Begriff durch ihr Verhalten näherzubringen.

„Mach mir keine Probleme" oder „Lass doch deine unqualifizierten Einwände sein" übersetzt Heinz Wolfert aus Beinders-

heim den Spruch „Mach mer kä Mengengkes!" (sprich: Mäng-gäng-kes) – zwei Sätze wie eigens gestanzt für jene internatio-nalen Fußballtrainer, die glauben, die Weisheit gepachtet zu ha-ben, wenn sie die wirklich guten Spieler auf der Reservebank sitzen lassen und stattdessen starrköpfig versuchen, die Taug-lichkeit des von ihnen entworfenen Spielsystems unter Beweis zu stellen. Wer anderer Meinung ist (zum Beispiel, weil er zwei Augen im Kopf hat, um zu sehen), macht „Mengengkes". Auch in Roschbach wird der Begriff verwendet, wenn jemand „unnö-tigerweise an einer Sache herumnörgelt", schreibt Helmut Win-gerter aus Neustadt, der hinzufügt („Saach blooß" meint: schmunzelnd): „Ich vermute, dass diese Redensart in der Pfalz nicht allzu verbreitet ist." (Hier ist wohl der Fußball zu gut.)

Gleichzeitig verweist Wingerter darauf, dass laut Duden „Men-kenke" landschaftlich a) für Durcheinander und b) für Schwie-rigkeiten stehe, was durchaus a) auf die Verteidigung der deut-schen Nationalmannschaft und b) auf deren Mittelfeld und An-griff gemünzt sein könnte. Gleichermaßen auf das Rasen-Ver-halten des Teams des Deutschen Fußball-Bunds anwendbar ist die Erklärung von Wilma Freundlich aus Böhl-Iggelheim: „Men-gengkes kommt aus dem Jiddischen und bedeutet so viel wie komisches, umständliches Tun." Siehe: „Ferz mache" – „oder „Schnäggedänz mache".

Die DFB-Kicker selbst dürften das natürlich etwas anders se-hen und es mit Inge Schornick aus Ludwigshafen halten: „Egal, was isch mach oder wie isch's mach, moi Mann macht mer im-mer Mengengkes" – „Schikanen, Einwände" lautet ihre Erklä-rung, die von Wolfgang Heintz aus Kapellen-Drusweiler geteilt wird.

Doch damit dürften die gescheiterten Fußballer argumenta-tiv nicht allzu weit kommen. Klaus Juner aus Herschberg schreibt nämlich, dass „Mengengkes" in Herschberg speziell bei älte-ren Leuten („Saach blooß" fragt: Meint er vielleicht die deut-sche Innenverteidigung?) „ein gängiger Sammelbegriff für Aus-flüchte und Ausreden" sei, außerdem für „Flausen, Faxen und Fisimatenten". Auch Juner berichtet, das Wort sei jiddischen

Ursprungs, und zwar eine verballhornte, mundfaule Zusammensetzung von „mineg, minhag" für „Brauch, Sitte" und „gusmes"
für „Aufschneiderei und Übertreibung". Mengengkes stehe also
für den „Gebrauch der Übertreibung". Maria-Luise Doppler aus
Hochdorf-Assenheim illustriert das sprachlich knapp: „Mach
net so viele Worte und kumm uf de Punkt." Und Luise Gmein-
wieser aus Ellerstadt sowie „die Karin un die Elke vun de Haßlocher Sparkass" schlagen vor: „Mach aus enner Mick kän Ele-
fant." – Ein wirklich weiser Rat, der übrigens auch in der Sport-
Weisheit mitschwingt, wonach Fußball eben nur „die schönste
Nebensache der Welt" sei, nicht aber der Nabel derselben.

Der liegt ja bekanntlich ohnehin ganz woanders, nämlich in
der Pfalz, gleich neben der „Weltachs".

Folge 47, erschienen am 25.6.2004

„Protz un Brulljes"

Nebelschwaden und Brillanten

Wenn der Schein trügt: Von Schaumschlägern und Prahlhänsen

Es war das Statistische Landesamt in Bad Ems, das jüngst die Meldung glaubte verbreiten zu müssen, dass von den Einwohnern aller alten Bundesländer die Rheinland-Pfälzer am häufigsten zu Übergewicht neigten.

Jeder zweite Erwachsene zu dick

LUDWIGSHAFEN. 50,8 Prozent der erwachsenen Rheinland-Pfälzer brachten voriges Jahr mehr auf die Waage als medizinisch ratsam. Dies teilte gestern das Statistische Landesamt mit. Die Quote der Übergewichtigen sei seit 1999 um drei Prozent gestiegen und die höchste der westdeutschen Länder.

Bei 60 Prozent der Männer (1999: 57 Prozent) und 42 Prozent der Frauen (1999: 40 Prozent) habe der „Body-Mass-Index" (Gewicht in Kilogramm durch das Quadrat der Körpergröße in Metern) den Wert 25 überschritten, sie gelten damit als übergewichtig . 39 Prozent der Männer und 54 Prozent der Frauen seien mit Werten zwischen 18,5 und 25 „normalgewichtig". Ein Rheinland-Pfälzer sei im Durchschnitt 1,77 Meter groß und wiege 82,4 Kilogramm. Die Vergleichswerte für Frauen: 1,65 Meter und 67,8 Kilogramm.

Die Statistiker haben diese Zahlen aus dem „Mikrozensus" ermittelt, einer repräsentativen Stichprobenerhebung. Jeder hundertste Rheinland-Pfälzer war befragt worden, die Beantwortung der Gesundheits-Fragen war freiwillig. Daher dürfte die Quote der Übergewichtigen real noch höher sein, so das Landesamt. Nur in den fünf „neuen" Bundesländern leben demnach mehr Übergewichtige: Die Palette reicht von 56 Prozent in Mecklenburg-Vorpommern bis zu 42 Prozent in Hamburg. 49,2 Prozent beträgt der Bundesdurchschnitt.

DIE RHEINPFALZ, 16. Juli 2004, Titelseite

Eine Erklärung wurde, wie so oft bei solchen Studien, nicht mitgeliefert. Und so stehen nun auch die Pfälzer unter Dickleibigkeitsgeneralverdacht.

Doch keine Angst: „Saach blooß", die Serie, die mit ihren Lesern durch dick und dünn geht, kann eine erstaunliche Erklärung (und brillante Ausrede) präsentieren. Pfälzerinnen und Pfälzer sind nämlich nur zeitweilig kräftiger gebaut als andere Menschen: Wenn sie einen über den Durst trinken, „hänn se en dicke Kopp", wenn sie sich ärgern, „hänn se en dicke Hals" und wenn sie mal ein bisschen Luft ablassen wollen, „machen se dicke Ärm". Und sämtliche dieser Schwellungen sind zweifelsfrei vorübergehender Natur. So viel zum Thema Übergewicht.

Wir wollen nun den Landesstatistikern nicht vorwerfen, sie hätten „dicke Ärm unn nix dehinner". Mit ebendiesen Worten umschreibt aber ein nordpfälzischer Redaktionskollege den in der jüngsten „Saach blooß"-Folge zur Debatte gestellten Ausspruch „Der macht jo norre Brulljes". Das bedeute „angeben, prahlen", sagt Sieglinde Hammann-Neser aus Bissersheim. Der

Spruch ist auch in der doppelt gemoppelten Variante „… Prozz un Brulljes" verbreitet, ergänzt Klaus Juner aus Herschberg. Und: „Schaumschlägerei" lautet die alternative Übersetzung von Helmut Wingerter als Neustadt.

Dass der Ursprung wie so oft bei pfälzischen Ausdrücken im Französischen liegt, mutmaßen einige Leser, allerdings mit unterschiedlichen Argumenten. Sieglinde Hammann-Neser erklärt, ein Aufschneider oder Prahlhans versuche die Dürftigkeit seiner Qualitäten zu vernebeln – daher auch der Spruch: „Mach net so en Newwel!" Und Nebel heiße auf Französisch nun einmal „brouillard".

Auch das den gallischen Nebelschwaden sinnverwandte Wort „brouiller" für „Verwirrung stiften, entzweien, trüben" wird als Ursprung für „Brulljes" ausgemacht, und zwar von Gisbert Häuselmann aus Ludwigshafen und Helmut Wingerter – zu Recht, wenn man dem „Pfälzischen Wörterbuch" glaubt. Dort ist neben der Bedeutung „Prahlerei" (Lexikon-Beispiel: „Der macht Brulljes mit seine dicke Grumbeere") vor allem für die Nordpfalz eine zweite Bedeutung für „Brulljes" angegeben; nämlich „Verwirrung, Durcheinander anrichten". Allerdings ist diese den „Saach blooß"-Einsendungen zufolge nicht mehr gebräuchlich.

Neben dem „Brulljes" ist im Übrigen auch die lateinisch anmutende Version „Brullius" bekannt, wie Kurt Scherff aus Obrigheim-Mühlheim und Hubert Vollmer aus Ludwigshafen wissen: „Mensch, macht der Brullius!" Vollmer erläutert zudem, wie sich das „Brulljes mache" konkret äußert: insbesondere durch Äußerlichkeiten wie Schmuck (Brillanten) oder Kleidung, „aber eventuell auch durch große Worte". Die Brillanten sind es denn auch, die zu Vollmers und Klaus Juners naheliegender Vermutung führen, „Brulljes" könne vom französischen Verb „briller" für „glänzen, scheinen" abstammen.

Einen brillanten gedanklichen Abstecher ermöglicht uns auch Inge Schornick aus Oggersheim: „Brulljee" sei das Buch, in dem die Liegenschaften innerhalb eines Orts verzeichnet seien. Kein Zweifel: Auch mit Grundstücken kann man angeben.

Folge 48, erschienen am 22. 7. 2004

„Knoddle"

Pfälzer Geduldsproben

Von Pfuschern und Umstandskrämern: „kno-Wörter", Teil 1

Von den Leserinnen und Lesern auf die Spur der pfälzischen „kno-Wörter" gebracht (knoddle/knoddre/knouze), hat „Saach blooß" wieder eine interessante Erfahrung gemacht: Nicht immer erntet Anerkennung, wer Schwieriges zuwege bringt.

Nehmen wir „knoddle". Es wird laut Joachim Roos aus Niederkirchen verwendet, wenn jemand „etwas durchaus Kompliziertes tut oder fertigt", was vorher nicht unbedingt zu erwarten war. „Jemand, der etwas zu basteln oder zu tüfteln hat, ist bei uns ein Knoddler", erklärt ebenfalls anerkennend Rosemarie Mathes aus Germersheim. Doch mit ihrem Lob stehen beide allein da: Die große Mehrheit der Pfälzer mag sie nämlich nicht, die Knoddlerinnen und Knoddler, wie „Saach blooß" bei repräsentativer Durchsicht der aktuellen Zuschriften herausgefunden hat.

Wer kennt sie nicht, die Männer, die im Keller verschwinden und an was auch immer herumschrauben, bis es funktioniert – auch wenn das Ding später überhaupt nicht gebraucht wird? Wer kennt nicht die Frauen, die auf sich warten lassen, weil

„Was knoddelscht dann widder so lang rum?"

dies oder das unbedingt noch liebevoll hergerichtet werden muss, obwohl andernorts das Stück/die Party/das Spiel längst begonnen hat?

„Sich verweilen bei Kleinarbeit, langsam arbeiten, pfuschen", übersetzt Klaus Juner aus Herschberg das pfälzische „knoddle". „Er bringt nichts zuwege, ist ein Umstandskrämer", meint Hedwig Hoffelder aus Waldsee. „Sich mit kleinen Arbeiten beschäftigen, die oftmals einen fleißigen Menschen vortäuschen", urteilt Minnie Maria Rembe aus Winnweiler gar. Ganz schön hart.

Wie das Wort entstanden ist, ist diesmal nicht schwer zu erklären, aber doch erhellend: „Ich mään, des kummt vunn beschdimmte Hondarbeide wie Schdrigge oder Heekle. Do hot ma jo dauernd mit Knode zu due", schreibt Matthias Schäfer. „Ist eine Schnur oder ein Seil gerissen, wird es wieder zusammegeknoddelt" oder -gewurstelt oder -gebosselt, weiß Johanna Kripp aus Ludwigshafen, und Ludwig Hutzelmann aus Schifferstadt ergänzt: „De Schuhbännel is verknoddelt." So wird deutlich: Im Prinzip ist „knoddle" für Hochdeutsch „einen Knoten machen" eine neutral bis positiv zu bewertende Beschäftigung. Erst durch die Vorgehensweise und/oder die Geisteshaltung der damit Beschäftigten wird es zur ungeliebten Umstandskrämerei. Oder, weil das „Knoddeln" bei manchen Menschen nicht ins Weltbild passt, wie eine Geschichte von Rudolf Walther aus Großkarlbach verdeutlicht: Das gehe überdeutlich aus der Äußerung eines Pfälzer Schulleiters bei der Stundenplanbesprechung in den 60er Jahren hervor: „Die Knoddelbiene kummt morjens net ins Schulhaus." Gemeint gewesen sei die Handarbeitslehrerin, die ihren Unterricht damals ausschließlich den Mädchen der Schule am Nachmittag erteilte und ganz gerne auch einmal am Vormittag im Stundenplan berücksichtigt worden wäre. Was ihr leider nie beschieden war. Rudolf Walther schließt daraus, dass „knoddle" „ein wohl von männlichen Wesen eingeführter despektierlicher Ausdruck für jede Form der weiblichen Handarbeit" sei.

Elke Striebinger aus Ludwigshafen weist übrigens darauf hin, dass auch „rumknoddle" weit verbreitet sei. „Warum kann ä Gäs net stricke?", fragt derweil Hertha Wehr aus Kaiserslautern und schafft mit ihrer Antwort die Überleitung zu Punkt zwei: „Ei weil se knoddelt!" Kurt Scherff aus Obrigheim-Mühlheim sinniert: „Früher, als noch viele Pferde in der Landwirtschaft eingesetzt waren, verloren sie auf dem Weg zum Acker das, was auf Hochdeutsch Pferdeäpfel heißt." „Knoddle" eben, die dann im „Knoddelkärchel" aufgesammelt wurden, so Juanita Jungmann aus Albisheim. „Ein Kindertraum" sei es einst gewesen, so einen Karren zu besitzen, erinnert sich Gisbert Häuselmann aus Ludwigshafen. Mit den „Knoddle" (da klingen die hochdeutschen Knödel an) wurde geheizt oder gedüngt.

Aber damit noch nicht genug: Nicht-Pfälzer mögen ungläubig den Kopf schütteln, aber auch Menschen – vornehmlich weibliche – können in der Pfalz mit dem Wort bedacht werden: „E goldichie Knoddel" schickten als Beispiel die „Karin und die Elke vun de Haßlocher Sparkass" ein. Als echter Liebesbeweis gilt gar: „Du bisch moi goldisch Knoddel." – „Saach blooß" meint: zum Knuddeln ...

Nachtrag: Günter Becker aus Kusel hat uns ein Gedicht geschickt, das er vor über 70 Jahren von seinem Großvater gelernt hat und das laut Lieselotte Hüther aus Bobenheim-Roxheim von dem Bad Dürkheimer Dichter Karl Räder (1870-1967) verfasst wurde. Es lautet:

E arem, arem Knoddelbiewel
rafft Knoddle zamme uff de Stroß,
do kummt e Auto hergeraddert
direkt uff's Knoddelbiewel los.
De Fahrer kreischt vum Auto runner,
„Gehschd aus'm Weg, du Lumbebu!"
Schnell springt de Büwel neweniwwer
droht hinnenoh un ruft'm zu:
„Jed Auto sollt' de Blitz verreiße,
gell, stinke könnt'r Schritt vor Schritt,
doch Knoddle, andlich Knoddle mache,
gell, Knoddle mache könnt'r nit."

Folge 49, erschienen am 13.8. 2004

„Knoddere"

Ein Volk von Miesepetern?

Was Eskimos und Pfälzer gemeinsam haben:
„kno-Wörter", Teil 2

Angeblich soll ja das auch als Eskimos bezeichnete Volk der Inuit dem Schnee mehr als ein Dutzend verschiedene Namen gegeben haben – weil es in arktischen Regionen so viel davon gibt. Ebenso verblüffend ist für „Saach blooß" aber die Erkenntnis, wie viele Wörter das angeblich so fröhliche Volk der Pfälzer für die Verbreitung schlechter Laune über die Sprache hat. Knodd(e)re, kneww(e)re, bäbb(e)re stehen zusätzlich zu den auch im Hochdeutschen gebräuchlichen brummeln, schelten, schimpfen, nörgeln, motzen, muffeln, meckern und maulen zur Auswahl (wir danken Anni Becker aus Kaiserslautern für etliche Beträge zu dieser langen Liste). Die Pfälzer, ein Volk von Miesepetern?

Was „knoddre" betrifft – nach „knoddle" das zweite in dieser Serie behandelte Pfälzer „kno-Wort" –, kann „Saach blooß" heute Teilentwarnung geben. „Knoddre, des is, wonn enner so e bissel schällt, grad so vor sich hie, net bees (!), er reecht sich halt uff, weil's net so richdisch klappt", meint Matthias Schäfer. „Jemand, der sich über etwas ärgert und ohne Unterbrechung darüber nörgelt, indem er in Selbstgesprächen seinen Unmut halblaut zum Ausdruck bringt", schreibt Ludwig Hutzelmann aus Schifferstadt. „Man sagt dann: Der ist heit widder mi'm falsche Fuß aus'em Bett." Siehe: Bei beiden Lesern schwingt ein Hauch von Verständnis mit für die – zeitweilige – miese Laune des Gegenübers.

Ein Knodderer, der laut Gerd Steller aus Rammelsbach „meischdens undeitlich in de Bart erinn brabbelt", verbreitet nach Ansicht von Hans Günther Meyer aus Weingarten zwar schlechte Stimmung, doch sei er „mit seinem Widerstand meist

„Was hoscht dann widder se knoddre?"

rasch am Ende, wenn er eine freundliche, verständnisvolle oder gar lustige Antwort bekommt". Witzig ist auf jeden Fall die Personenbeschreibung, die „d' Steffi" per E-Mail geschickt hat: „Fall's mol känner in de Näh isch, werd ach gern mol mit sich selwer dischbediert ..."

Es gibt auch kritischere Stimmen: Als „misslaunig" und „unhöflich" bezeichnet Rosemarie Mathes aus Germersheim einen „Knodderer", ohne eine Entschuldigung für dessen unfreundliches Verhalten ins Feld zu führen. Ebenfalls keine große Sympathie zeigt Gerd Bauer aus Ludwigshafen, der einen „Knodderer" als Nörgler sieht, „der an allem etwas auszusetzen hat". Johanna Kripp aus Ludwigshafen setzt noch einen Ausspruch drauf: „Des isch en rischdischer Knodderhaffe."

Während viele Leser darauf hinweisen, dass es meist Männer seien, die zum „Knoddre" neigten (Frauen „bäbbern" eher, sagt zum Beispiel Hans Günther Meyer), berichtet Adalbert Edrich aus Ludwigshafen von den leidvollen Erfahrungen seiner 1888 geborenen Großmutter, „einer herzensguten, ruhigen Frau". Sie heiratete einen „Knubbe-Wärt" genannten Land- und Gastwirt und bekam es danach mit der bösen Schwiegermutter zu tun, „de ald Katt": „Wenn meine Großmutter ihrem Herzen mal Luft machen wollte – sie hatte wohl keinen leichten Stand gegenüber der Herrin –, dann sagte sie leise vor sich hin: „Wann die numme ned immer so rumknoddre ded!"

Der Gedanke, dass die Pfälzer ein Volk von Miesepetern sein könnten, hat indessen Kurt Scherf aus Obrigheim-Mühlheim auf den Plan gerufen. Er widerspricht der These vehement: Wenn die Pfälzer nämlich eines der vielen pfälzischen Nörgelwörter verwenden, sei das „nach Pfälzer Art humorvoll gemeint", schreibt er. Manchmal könnten sie gar ein Kompliment bedeuten: „Es kommt auf den Ton an, und vor allem muss man en echte Pälzer sein, um diese Ausdrücke anzunehmen." Dabei spiele freilich die Tagesform der Gesprächspartner eine Rolle. Fest steht für Scherff: Mit einem Augenzwinkern, mit Mutterwitz und Hintergründigkeit muss in der Pfalz jederzeit gerechnet werden. Und „Saach blooß" meint: Gut, dass das geklärt ist.

„Vermutlich lautmalerisch", meint Rudolf Walther aus Großkarlbach, ist die Entstehung von „knoddre" zu erklären, ein Wort, in dem auch das Wort „knurren" anklingt. Hubert Lehmann hält es dagegen für möglich, dass „knoddre" sprachlich etwas mit dem vergeblichen Versuch zu tun hat, einen Knoten zu lösen, der sich nicht lösen lässt. Womit wir wieder bei „knoddle" wären. Wenn Sie diese Erklärungen nicht begeistern sollten, liebe Leserinnen und Leser, schlagen wir vor: Knoddern Sie doch einfach ein bisschen vor sich hin. Manchmal hilft's.

Folge 50, erschienen am 27.8.2004

Wenn Pfälzer sich drücken

Seltsame Liebesbekundungen: „kno-Wörter", Teil 3

Für immer im Dunkel der Sprachgeschichte verborgen bleiben wird, warum so viele typisch pfälzische Wörter – „knoddre", „knoddle", „kno(u)ze/knotsche" – mit der Buchstabenfolge „kno-" beginnen. Sprechen wir einfach mal von Zufall. Um hinter die Bedeutung von „knoze/knotsche" zu kommen (das übrigens, den Zuschriften nach zu urteilen, deutlich weniger gebräuchlich ist als „knoddre" und „knoddle"), lohnt diesmal ein Blick ins „Pfälzische Wörterbuch". Die Sprachexperten stellen nämlich jeweils den Bezug zum hochdeutschen Wort „kneten" her. Wenngleich Anni Becker aus Kaiserslautern eher den Bezug zu „knautschen" für schlüssig hält.

Und wir dürfen nun darüber philosophieren, was in der Pfalz alles gedrückt und geknufft werden kann. „Bei mancher Mutter schrillten die Alarmglocken, wenn die heranwachsende Tochter mal verlauten ließ: De Karl hot an mer rumgeknouzt", liefert Helmut Wingerter aus Neustadt ein anschauliches Beispiel. „Rumknooze isch, wenn ma jemand laufend petzt, knufft un stubbst", nennt „d' Steffi", die uns eine E-Mail schickte, eine deutlich weniger erotische Variante. Und: „Ma knoozt ach gern mol Katze un klänne Hunde. Des isch dann wie knuddle oder kuschle. (Meischdens we'nn des die Viecher awwer gar nid so, deshalb wird's oft mit ärchere gleichgestellt.)"

Dass die Aussprache des Worts von Ort zu Ort differieren kann, schildert Helga Kern – nach eigener Aussage zweisprachig aufgewachsen, bis zum sechsten Lebensjahr in Altdorf und danach vier Kilometer entfernt in Goise: „In Altdorf sagte meine Großmutter, als ich beim Teigmachen naschen wollte: Loss doi Knoutsche weg!" – bei der Geinsheimer Oma dagegen habe es ganz ohne „u" geheißen: „Behalt doi Knotsche bei der!"

„Hot der heit an mer rumgeknouzt!"

Der Eintrag „Die Kinner knotschen im Dreck" als Anwendungsbeispiel aus Hundheim im Kreis Kusel findet sich im „Pfälzischen Wörterbuch". Aber auch wenn Erwachsene „mit Bickel un Schibb" im Dreck arbeiten, kann diese Tätigkeit laut Gerd Steller aus Rammelsbach als „knouze" bezeichnet werden – wobei wir uns bei dieser Deutung erstmals relativ weit vom Ausgangspunkt „kneten" entfernt haben.

Ganz nah dran ist der fast vergessene Begriff „Knotsche-Bäcker" als Bezeichnung für unreinliche Herren in der Backstube. Dass denen dann das Brot verkno(u)zt (nicht aufgeht), ist natürlich kein Wunder. Ein „Knouzer" ist laut Kurt Scherff dagegen ein pfälzischer Knauser – ein Mann, der die Münzen lieber in seinen Händen knetet, anstatt sie auszugeben.

Folge 51, erschienen am 10.9.2004

„Do hinne hängt en Butze"

Hoch getürmt und tief gebohrt

Ein Stich ins Wespennest:
Wenn über der Pfalz dunkle Wolken hängen

Raten Sie mal: Was haben ein Tintenklecks, eine vermummte Schreckgestalt und Durchfall beim Rindvieh gemeinsam? Ganz einfach: Diese drei Erklärungen (und noch 15 weitere) finden sich im großen „Pfälzischen Wörterbuch" unter dem Eintrag „Butz(e)", jenem Wort also, nach dem „Saach blooß" – arglos wie immer – in der jüngsten Folge gefragt hatte. Soll heißen: Wir haben in ein semantisches Wespennest gestochen.

„Ziehen Gewitterwolken auf, und über dem Wald wird es ganz schwarz, dann sagt man: ‚Do hinne hängt en Butze'", schreibt zum Beispiel Gertraud Schwall aus Leinsweiler. „Eine Ansammlung meist dunkler Wolken, die nahenden Regen ankündigt", lautet die Definition von Stefan Eck aus Maximiliansau, die unter anderem von Ruth Winterhalder aus Speyer geteilt wird.

Während allerdings Jürgen Weiler aus Schifferstadt meint, dass diese Wolke „vun irschendwuher ogerolld" kommen könnte, haben andere Leser klare geographische Vorstellungen, was unter „do hinne" zu verstehen ist: Bei den Vorderpfälzern sei stets die Haardt gemeint, schreibt Ottilie Rieder aus Deidesheim. Laut Inge Schornick aus Oggersheim ist „do hinne" Bad Dürkheim, für Christel Flory aus Klingenmünster hängt die bedrohliche Gewitterwolke im „Weißenburger Loch", für Helga Kern aus Geinsheim im „Londarer (Landauer) Eck" und für die Landauer selbst im „Annweilerer Loch". Als meteorologisch erstaunlich sachkundig erweisen sich „die Kolleesche" aus der „Reddaggzion Neischtadt", die recherchiert haben, dass es sich bei besagten Wolken „zweifelsfrei" um den Typ „Cumulonimbus" handele.

Deutlich erdnäher und auch nur bedingt mit dem Wetter in Zusammenhang steht eine weitere Form des „Butze": Wenn Joachim Lehmler aus Oggersheim als Schüler zu jemandem (natürlich im Scherz) sagte: „Ich mach der glei de Butze aus de Nas!", wusste der Betroffene, was die Stunde geschlagen hatte. Endgültig klar und weniger bedrohlich wird es im Beispiel von Inge Schornick: „Kannschd noch so lang in de Nas bohre, finnschd kä Öl, hegschdens en Butze." Kurt Scherff aus Obrigheim-Mühlheim liefert die Anleitung dazu: „Als Bohrgerät werden die Finger benutzt. Bei kleinen Nasen reicht der kleine, bei größeren Riechern kann jeder Finger eingesetzt werden." „Saach blooß" hält es an dieser Stelle mit Petra Schneider aus Fußgönheim (Zitat: „Awer jetzt wird's eklisch") und warnt: Liebe Kinder, bitte nicht nachmachen!

Apropos: Die Kreativität des Dialekts macht's möglich, dass sogar Kinder selbst als „goldischer, kleener Butze" (so Doris Schmid aus Kaiserslautern), „liewes Butzelsche" (Inge Schornick) oder „een liewer Butze, so richdich zum Knoddle" (Heinz Hener per E-Mail) bezeichnet werden können, „stets mit liebevollem Unterton", wie Johanna Kripp aus Ludwigshafen ergänzt. Dass die Kleinen manchmal Angst vor dem „Bi-Ba-Butzemann" haben, worauf neben einigen anderen Einsendern auch „die Karin und die Elke vun de Haßlocher Sparkass" hinweisen, führt zu einem kleinen, aber amüsanten sprachlichen Paradoxon.

Und damit noch lange nicht genug „gebutzt": Unter anderen Elke Plass-Mackensen aus Niederkirchen weist darauf hin, dass auch Überbleibsel vom Obst und missratene kleine Früchte auf Pfälzisch „Butze" (oder „Krutze") genannt werden können, oder „Dreck, der irgendwo hängt", wie Rolf Ebel aus Eisenberg weiß. Wobei der „Butze" in diesem Fall – übrigens ebenfalls in der Nase – auch als „Bolle" in Erscheinung tritt. Wobei ein „Bolle" in einem anderen Zusammenhang auch ein Erdklumpen sein kann.

Die Wortwurzel des „Butze" verweist laut Duden auf „etwas Klumpiges, Unreines, Plumpes, Stumpfes", wie Ottilie Rieder nachgeschlagen hat, beziehungsweise ganz allgemein auf Ver-

dickungen. So auch in der „Butzescheibe", deren Glas in der Mitte dicker ist, oder im „Butze" als verkohltem Dochtteil einer Kerze, wie Joachim Lehmler herausfand. Und schließlich schreibt noch Hans Estelmann aus Böchingen: „Ist einer besoffen, dann horrer änn Butze."

Folge 52, erschienen am 1.10.2004

„Schiergar"

„Schiergar hätt's gebeinohdelt"

Pfälzer Annäherungen: Von Lotto-Sechsern und Fußballdramen

Alles eine Frage der Perspektive: drei Richtige im Lotto, außerdem die 13 statt der 14, die 25 statt der 26 und die 41 anstelle der 40. In der Pfalz heißt es in einem solchen Fall nicht: Knapp daneben ist auch vorbei. Der Pfälzer/die Pfälzerin läuft lieber stolz durchs Dorf, winkt mit dem Tippschein und erzählt jedem: „Schierga(r) hedd ich en Sechser g(e)hatt!", wie Elfriede Dörrich aus Berg berichtet.

„Mach die Aache uff, schierga wärscht uff mich gerennt!" und „Bass uff, schiergar bischd neigedrede" lauten weitere Beispiele für Situationen, in denen das Wort schierga(r) Anwendung findet; eingeschickt wurden sie von Inge Schornick aus Ludwigshafen und Walter Zimbelmann aus Schwegenheim. Noch dramatischer war die Lage bei Rosemarie Mathes aus Germersheim: Sie hätte nämlich „schierga verpasst, Ihne zu schreiwe". Und Johanna Kripp aus Ludwigshafen hätte doch allen Ernstes

„schiergaa vergesse, a Ihren Illuschtrador, den Herrn Herrmann, zu grieße". „Saach blooß" sagt a): Gruß zurück. Und b): Noch mal Glück gehabt.

„Schierga is e anner Wort fer beinoh un hääßt fascht, awer net ganz. Ich wääß, des klingt e bissel iwwerzwersch, isch awer e guti Erklärung, mänt moin Monn", schreibt Helga Kern aus

Geinsheim. Und Fußball-Fan Christel Flory aus Klingenmünster dichtet: „Schiergar wär de FCK/abg'stiche im letschte Jahr./ Wann die Bursche des nit blicken/un weiterhin so dämlich kicken,/dann esch's aus mit schiergar un beinoh:/Dann isch de Abstiech desmol do!" (Anmerkung aus der Zukunft: Wie weitsichtig diese Zuschrift – leider – war, weiß jeder Pfälzer, der die FCK-Spiele bis zum Mai 2006 weiter verfolgt hat.)

Ein äußerst kurzes Beispiel liefert das „Pfälzische Wörterbuch". Dort wird erläutert, schiergar könne als Satz auch ganz alleine stehen: Wenn man jemanden beinahe angerempelt habe, dann gelte „Schiergar!" nämlich als „höfliche Entschuldigungsformel". „Saach blooß" rät nicht unbedingt zur Anwendung: Denn die Entschuldigung funktioniert wohl nur, wenn der Schuldige besonders freundlich lächelt und das Opfer des Pfälzischen samt seiner Nuancen in hohem Maße mächtig ist. Im anderen Fall könnte Ärger drohen.

Der Hinweis von Helmut Wingerter aus Neustadt, dass in der Pfalz neben „schiergar" auch das fast gleichbedeutende Wort „schier" gebräuchlich ist (Ich bin so mied, dass ich schier nimmie uff meine Fieß stehe kann), führt uns ein Stück in Richtung des sprachlichen Ursprungs. „Schier(e)" bedeutete nämlich im Mittelhochdeutschen „schnell", wie Joachim Lehmler aus Ludwigshafen erklärt. Wobei das Wort bis heute eine zweite Bedeutung hat: „rein" oder „lauter" wie in „schiere Freude". „Gar" werde vor allem im süddeutschen Raum im Sinne von „vollends", „durchaus" oder „sehr" als Verstärkung verwendet. Womit für Lehmler klar ist: „Schiergar ist also etwas, was ums Hoor passiert wär." Die hochdeutsche Übersetzung „beinahe" zeige sich übrigens auch in der pfiffigen Pfälzer Wortschöpfung: „Schiergar hätt's gebeinohdelt!" – Dass „schiergar" was mit „circa" zu tun haben könnte, wie manche Leserinnen und Leser vermuteten, dafür fanden sich indes keine Beweise. Nicht einmal „schiergar".

Folge 53, erschienen am 22.10.2004

„Schlawwre" und „babble"

Im Land der losen Lippen

Wenn Pfälzerinnen und Pfälzer sich viel zu erzählen haben

So manches ist Pfälzerinnen und Pfälzern schon öffentlich zur Last gelegt worden. Sie seien zu dick, behauptete das Statistische Landesamt („Saach blooß" widerlegt die These, Seite 152). Ihre Sprache sei unerotisch, behauptete das Fachblatt „Playboy" („Saach blooß" und die Leser halten dagegen, Seite 95). Außerdem soll der bis heute prominenteste Pfälzer aus Oggersheim ein eigenwilliges Verhältnis zu Bargeld in größeren Mengen gehabt haben (siehe „Bimbes", Seite 66). *Ein* Vorwurf aber ist den Pfälzern bislang nicht gemacht worden: Sie redeten zu wenig.

Und das verwundert nicht. Sie kommunizieren nämlich gar zu gerne, die Menschen zwischen Rhein und Saar. Mit der Folge, dass im täglichen Sprachgebrauch zwei Wörter um Platz 1 der losen Mundwerks-Statistik wetteifern. „Du bischt en alder Brothoge, babbelscht nur dummes Zeich", schreibt Ruth Stranz aus Dannstadt und: „Schläwwer net so viel, un mach dei Ärwet rischdisch!" – Sie „babbeln" und sie „schlawwern" oder „schläwwern" also, die Pfälzer. Nur: Wann gilt was?

„Schlawwere" sei lautmalenden Ursprungs, meint Falk R. Rittig aus Grünstadt. Einst sei es verwendet worden, wenn Tiere geräuschvoll fraßen und soffen, mittlerweile stehe es für „hastiges und gedankenloses Sprechen". „Babble" dagegen sei intellektuellerer Natur. Klaus Juner aus Herschberg sieht das etwas anders: „Wer schlawwerig redet, redet viel, großmäulig, angeberisch, und wer babbelt, redet unklar." Jemand, der „immer es Wort hot un ziemlich laut isch, der isch e Schlappmaul orrer er hot e großi Schlapp", meint Ruth Strauch aus Zweibrücken. Und Karola Schied aus Neustadt vereint beide Wörter in dem Reim: „Was die gebabbelt hot mit ehrer Schlewwerschnuut basst unner kään Fuhrmannshut!"

„Heer uff zu schlawwere!"

Näher an eine Erklärung bringt uns Hans Estelmann aus Böchingen: „Ein Schlawwerle ist ein Umhang am Hals", den ein
Kind trägt, damit es die Kleidung nicht „verschläwwert", schreibt
er und verweist auf die zweite Bedeutung von „schlawwre":
wenn beim Bewegen der Lippen zum Zwecke der Nahrungsauf-
nahme etwas daneben geht – und zwar in der Regel etwas
Feuchtes, Wässriges, eben „Schlabberiges", wie Joachim Lehmler aus Ludwigshafen ergänzt. Der Gedanken-Kreis schließt sich,
wenn man beim „Schlawwerer" oder bei der „Schlawwergusch"
(so Anni Becker aus Kaiserslautern) an den Hastig-und-Vielred-
ner mit feuchter Aussprache denkt. Dass sich im pfälzischen
Wort „schlawwre" das lateinische „labia" für „Lippe" verbirgt,
macht schließlich auch den letzten Sprachforscher glücklich.

Die Zusammensetzung „Dummbabbler" wiederum, auf die uns Kurt Scherff aus Obrigheim-Mühlheim hinweist, legt nahe, dass es beim „Babble" eher um den Inhalt als um den Feuchtigkeitsgrad des Gesprochenen geht. Das gilt auch für den von Joachim Lehmler geschilderten Fall des alkoholisierten Redners, dem man auf Pfälzisch nachsagen darf: „Der hodd Babbelwasser getrunke." Hier stand übrigens die Lippe ebenfalls sprachgeschichtlich Pate: Lateinisch „babare" und Mittelhochdeutsch „papare" bedeuteten „unverständlich die Lippen bewegen" – wie ein Säugling, wenn er „Ba-ba" (oder, je nach Interpretation, „Ma-ma") sagt. Noch Fragen?

Folge 54, erschienen am 9.11.2004

Stichwortverzeichnis

Blaue Begriffe und blaue Seitenzahlen weisen darauf hin, dass sich eine Folge überwiegend oder ausschließlich mit diesem Stichwort oder diesem Spruch befasst. Feststehende Sprüche und Redensarten sind durch An- und Abführungszeichen gekennzeichnet. Die Tilde (~) steht in Zusammensetzungen und Redensarten für das jeweilige Stichwort.